Katalogbog

J. F. Willumsens Museum

Katalogbog
J. F. Willumsens Museum

af Leila Krogh

Bogen er sat med Times
og trykt i Krohns Bogtrykkeri
på mat Macoprint fra Havreholm.
Bernhard Middelboe har udført farvereproduktionerne
og Bjarnholt de sort/hvide.
Bogbinderarbejde ved E. Hjorth & Co.
Tilrettelæggelse: Torben Christensen og Leila Krogh.
København 1986.
ISBN 87-980362-9-7

Hvor intet andet er nævnt, er kunstværkerne af
J. F. Willumsen, og de findes på J. F. Willumsens Museum.

Omslagets forside: *Plakat til atelierudstillingen 1910.*
Litografi, 125×85 cm. Bet. JFW/ 1910. Schultz 199.

Indhold

Et øje, 1891. Brændt ler med glasur. 8,5 × 10,8 cm. Ikke bet. Acc 703.
På en vedhæftet seddel har Willumsen skrevet: *Mit første stykke Keramik som jeg brændte i Frk. Ane Maria Broder-sens Kakkelovn i Paris i 1891 (?)*

Forord

Det har længe været et stort ønske for J. F. Willumsens Museum at udgive et katalog, der samtidig kunne fungere som et formidlingstilbud og en praktisk opslagsbog ved museumsbesøget. I det første hovedafsnit er en række af J. F. Willumsens mest markante værker gengivet i farver. Den ledsagende tekst er udformet, så den kan bruges under en rundgang i museet ved de større værker. De er gengivet og omtalt i kronologisk rækkefølge, så de samtidig giver et billede af kunstnerens udvikling.

I andet hovedafsnit bringes korte, relevante tekster om J. F. Willumsen og hans omfattende produktion. Desuden bringes en fortegnelse over boliger og atelier, en levnedsbeskrivelse og gengivelser af alle museets fremhængte Willumsen-værker, samt litteraturfortegnelse, noter og henvisninger.

Teksten er udformet med henblik på det store antal spørgsmål, som besøgende på museet stiller. Flere års omvisninger og kontakt med publikum har givet god indsigt i, hvad der umiddelbart ønskes ved en rundgang. Teksten er derfor udformet, så der gives svar på mange af disse spørgsmål.

Katalogbogen er med andre ord disponeret, så den kan bidrage til at uddybe oplevelsen ved et besøg på museet. Følgelig er den ikke tænkt som noget altdækkende værk om J. F. Willumsen.

Da flere af Willumsens værker er svært tilgængelige, er det problematisk at anlægge alt for enkle og entydige fortolkninger. Men ofte har det været muligt at anskueliggøre værkerne med Willumsens egne synspunkter. En del af dette materiale bygger på oplysninger, der ikke tidligere har været publiceret. Da Willumsen ofte har udformet maleriernes rammer som en del af kunstværket, er de derfor medtaget på alle fotografierne.

En tak for økonomisk støtte skal rettes til Dronning Margrethes og Prins Henriks Fond, Frederiksborg Amts Museumsråd og Tuborgfondet. Peter Schandorf har arbejdet utrætteligt med at fotografere store dele af samlingen med alle de vanskeligheder, som optagelse af Willumsens værker giver, og Torben Christensen har bistået med tilrettelæggelse af opslagene, så det hele gik op.

En varm tak skal også bringes til museets medarbejdere: Eva Bræmer, Laura Hjorth, Ingrid Fischer Jonge, Lis Kjeldsen og Karen Støvring, samt Hanne Kolind Poulsen for deres medvirken.

Leila Krogh

Billede af livet på Paris' kajer

Da Willumsen som nygift i marts måned 1890 bosatte sig i Paris, gik han i løbet at et par måneder i gang med at male et billede af livet i storbyen. Han havde været der før, men denne gang var han særlig optaget af menneskemyldret, som var helt anderledes end i København. Hans kone Juliette skrev overvældet hjem til sine forældre, at her var skarer af mennesker, der vandrede, tusinder af droscher og firspand-vogne, »Boulevardlivet, det er Parises Egenhed«.

Willumsen malede et stykke af Seinen med broen Pont Saint-Michel og Notre Dame kirken i baggrunden. Den iøjnefaldende zigzaglinje langs bogkasserne, over broen og op til kirkens facade understreger det myldrende liv. De fleste personer og alle vognene bevæger sig hastigt af sted. Både arme og ben markerer bevægelse.

Ved hjælp af en særlig maleteknik har Willumsen fremhævet det urolige liv. Figurerne er malet i enkle, rene flader, fremhævet af en mørkere rand. De to blå mænd i forgrunden har en tydelig kontur, der yderligere fremhæves af en tykkere gul streg. Komplementærfarverne blå og gul, og rød og grøn bliver flere steder benyttet for at tydeliggøre de enkelte figurer og deres bevægelse. I det skarpe lys er der ingen skygger, undtagen til højre, hvor slagskyggen fra et træ er indmalet med lange tunger.

I sine erindringer mener Willumsen at kunne huske, at motivet var set ud af hans hotelvindue. Fra hotellet på Quai St. Michel 15 var udsigten dog noget anderledes. Han har snarere fået ideen til motivet fra et engelsksproget blad, hvor han har klippet et billede med broen, kirken, plakatsøjlen, vognene og menneskene ud. Med få ændringer og tilføjelser har han opbygget sit motiv. At der ikke findes tegnede skitser til dette maleri bekræfter fremgangsmåden. Til andre af hans malerier fra Paris er der netop mange tegnede skitser. Her har han blot ønsket så hurtigt som muligt at male sit indtryk af den levende storby.

Før billedet blev sendt hjem til København, blev det udstillet i Paris med titlen *Myretuen*. Senere er det blevet kaldt *Gadeliv ved Pont Saint-Michel* og *Billede af livet på Paris' kajer*. Den flade hvide ramme var det billigste, der kunne fås.

Billede fra Willumsens udklipsmappe Arkitektur. Paris, udsigt mod Notre Dame.

Billede af livet på Paris' kajer. 1890. O.L. 150 × 150,5 cm. Bet. J. F. Willumsen / 1890. Acc 508.

To gående koner. Bretagne

To koner skilles efter en passiar. 1890. O.L. 100×94 cm. Bet. J. F. Willumsen / Bretagne 1890. Nordjyllands Kunstmuseum.

Da det om sommeren i 1890 blev for varmt i Paris, tog Willumsen til Bretagne for at male. Paul Gauguin og flere andre malere holdt til i dette område og Willumsen slog sig ned i Pont-Aven.

Willumsen tegnede flere skitser og malede tre malerier af bretagnekoner med deres karakteristiske dragter med de hvide kraver og hovedtøj. Som i *Billede af livet på Paris' kajer* er det bevægelsesmotivet, han er optaget af. I billedet med lyspletterne i skoven vender de to kvinder sig fra hinanden og arbejder sig ud til hver

sin side, og fra en af Pont-Avens gader kommer den ene bretagnekone beslutsomt vandrende lige ud mod beskueren.

De to gående koner bevæger sig hastigt mod venstre. Ligesom i gadebilledet fra Paris er dragterne malet i rene flader med en afgrænsning af konturen. Baggrunden derimod er rig på detaljer og de to kvinder er omhyggeligt placeret i forhold til facaden. Kvinden til venstre bliver indrammet af dørens rustrøde skodder, mens kvinden til højre er fastholdt mod den grønne skodde. Hovedlinjerne i facaden er trukket, så

Bretagnekone gående mod beskueren. 1890. O.L. 64×57,5 cm. Bet. J. F. Willumsen / 1890 Pont-aven. Acc 1230.

de løber sammen mod venstre for at fremhæve figurernes gang. Flere af husets detaljer er underordnet helheden og selv vinduernes underkant synes at være skubbet i forhold til tobaksskiltet. Den strittende paraply, træskoene, de fyldige skørter, hovedernes bevægelse er med til at understrege retningen.

Det var ikke tilfældigt, at Willumsen netop koncentrerede sig om bevægelsesmotivet. Kort før havde han i København udført flere raderinger med mennesker, der bevæger sig i byen. Hans forlovede Juliette går hastigt hen foran Nørrevolds husrække, ved en valgdag myldrer vælgerne i København og i raderingen af den nyanlagte Aborrepark skyder folk skyndsomt genvej. Bevægelsesmotivet optog Willumsen hele livet, og igen og igen vendte han tilbage til det med nye udformninger.

Det er oplagt, at Willumsen netop tog til Bretagne, fordi en kreds af kunstnere omkring Gauguin holdt til i området. De traf her hinanden personligt for første gang og Gauguin viste også interesse for Willumsens arbejder. Gauguin og Willumsen opretholdt kontakten med hinanden. De udvekslede kunstværker og i bytte for træskulpturen *La Luxure* fik Gauguin Willumsens maleri af *Bretagnekone gående mod beskueren*. Det blev i 1972 erhvervet til Willumsens Museum.

To gående koner. Bretagne. 1890. O.L. 100 × 100 cm. Bet. J. F. Willumsen / Bretagne 1890. Rammen rekonstrueret. Acc 642.

Frugtbarhed

Kort før Willumsens kone Juliette den 20. januar 1891 fødte deres første barn, udførte han en radering af sin svangre hustru. I en helt enkel form gengiver han kjolen, ansigtet, håret og hænderne. Mønstret i forklædet svarer til kornakset, der formerer sig igen og igen på samme plante. Et digt på fransk er skrevet i det hvide felt.

Juliette følte sig så besværet, at hun kun gik ud i skumringen, og Willumsen måtte undertiden bære hende op til deres 4. sals lejlighed. I

Familievasen. 1891. Keramisk skulptur, h. 52 cm. Bet. J F. Willumsen / -1891-. Kunstindustrimuseet.

Portræt af Juliette Willumsen med sine to sønner Jan og Bode. 1895. Blyant, 52,4×40,9 cm. Bet. J. F. Willumsen / April 1895. Acc 1190.

den eneste radering, han udførte i Paris, har han fremhævet kvindens skulpturelle form og søgt at understrege naturlovenes formering. Forklædet, der var bundet om den store mave var et gammelt kendt symbol. Dette vigtige kvindelige beklædningsstykke skulle beskytte det ufødte barn mod sygdom og anden dårligdom.

Kornakset skulle med Willumsens egne ord symbolisere formeringen, som den sker i naturen. Med digtet på fransk markerede han sin egen

kunstneriske situation. Det kræver tålmodighed og indlevelse at forstå den moderne kunst.

Den gamle kunst har sit
eget sprog
som man lidt efter lidt lærer
at forstå.
En moderne kunst har et
nyt sprog
som man må lære, før man
forstår den.

Willumsen har utvivlsomt været klar over, at raderingen var usædvanlig, hvilket han har ønsket at tage højde for. I teksten søgte han at afbøde reaktionen, som dog samtidig var nødvendig for ham. Hele sit liv havde han brug for kritiske kommentarer til at skærpe sig selv. Var de der ikke, fremprovokerede han dem eller bildte sig ind, at de var der.

Bladet blev vist kort efter i marts måned på Den frie Udstillings første udstilling i København. Det vakte en umådelig opsigt, og publikum reagerede kraftigt på både motivet og udformningen. Den blufærdige og forenklede måde han skildrede sin svangre hustru, kornaksets hentydning til formeringen, og et digt på fransk! I en omfattende avispolemik blev raderingen og dens ophavsmand skarpt kritiseret.

I flere senere kunstværker behandlede Willumsen motivet med familiens udvikling.

Frugtbarhed. 1891. Radering, 24,7×34,2 cm. Bet. J. F. Willumsen jvier 1891. Schultz 17.

Jotunheim

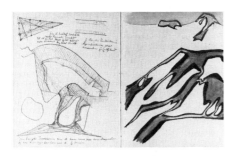

Skitse til Jotunheim i notesbog, på-begyndt 6.12.1892. Blyant, blæk og vandfarve, 21,7×17 cm. Ikke bet.

I *Jotunheim* har Willumsen skabt en syntese af det norske bjerglandskab og sine ideer om menneskelivet. I en kombination af malet lærred, en ud-skåret træramme, bemalede zink-relieffer og emalje på kobber, har han samlet mange forskellige ople-velser. I den nederste del af maleriet har Willumsen søgt at skildre fjeldets hårdhed ved hjælp af hvide rektan-gulære felter. De bliver gentaget i den tilsvarende del af rammen, mens den øverste del af maleri og ramme er formet mere organisk og glidende. Den nederste del af fjeldet spejler sig i søen, men man kan også se en vis spejling eller symmetri omkring en vandret linje tværs igennem billedet. Flere af sneklatterne kan tolkes som dyrefremstillinger, hvad Willumsen arbejdede helt bevidst med næsten 50 år senere i et fiksérbillede fra Alperne.

Maleriets øverste bjergkæde bliver gentaget i den fritstående del ovenpå træerammen. Den minder mere om Alperne end om Norge. I 1891 havde Willumsen opholdt sig i Alperne, hvor han malede flere billeder.

Da Willumsen havde boet to år i Paris foretog han i sommeren 1892 en længere rejse til Norge for at male i en hel fremmed natur. Det var hans første tur til de norske fjelde.

Fra Oslo rejste han med skib langs kysten til Lofoten. Det tog nogen tid for ham at blive fortrolig med land-skabet, og så længe det var tilfældet, følte han ikke trang til at fremstille det kunstnerisk. I de breve, han sendte hjem til Juliette, kan man følge hans rejse nordpå og tilbage igen. Han skildrede de mægtige klip-per, fjeldtinderne, sneen, der ser ud som et flosset hvidt stykke tøj, de mørke uhyggelige fjorde med de skrå nøgne fjeldsider og farverne med de mange blå og grønne nuancer. I Kri-stiansund købte kan seks meter stærkt presenninglærred, som han håbede, han snart fik brug for.

Vejret blev efterhånden bedre, og han selv var nået til Tyin sø i Jotun-heim. Over fjeldsøen kunne han se hele Jotunheimkæden med alle spid-serne og gletscherne. Glæden ved stedet og bevægelsen ved de første breve hjemmefra med fotografier af Juliette og Jan gjorde, at han kom i gang med billedet. En notesbog blev

malet fuld med akvareller, som skulle danne grundlag for et fantasibillede af en tænkt bjergegn. Han søgte at

Tåger og sneklatter på bjerg. 1938. O.L. 127×150 cm. Bet. · J · F · W / · 1938 · Rammens maling ikke origi-nal. Inv 123.

få mere i det end man kunne se ved blot at tage dertil.

I sit hotelværelse havde han lærre-det spændt fast på en bordplade på den ene væg, mens akvarellerne var spredt ud på sengen, så han kunne overskue dem. Her lavede han »et fuldstændigt og godt Underlag paa det store Lærred til et Fjeldbillede af Vildhed og Sne. Hvilket jeg kan gøre færdig i Paris i Vinter«. Han var let-tet over at skulle væk fra Norge.

Om efteråret malede han billedet færdigt, og da det ikke svarede til hans forventninger, tilføjede han derefter reliefferne og bjergkæden.

... *Skyerne dreve bort, og jeg befandt mig ved Randen af en Afgrund og saa ud over et bjærgfuldt Landskab i det høje Nord, alvorligt og brutalt dækket med evig Is og Sne, en Verden, ubeboelig for Mennesker. Under Indtryk af denne Stemning af Alvor formede sig Sind-Billederne i Relieffet. Figurerne paa Relieffet tilvenstre repræsenterer dem, der med fast Vilje søge ved Lærdom og Forstand at finde Forbindelsen mellem det uendeligt Store og det uendeligt Smaa. Det uendeligt Store er fremstillet ved en Stjernetaage, det uendeligt Smaa ved nogle Mikrober. Figuren forneden er under Inspiration; Figuren foroven føler sig overbevist om det rigtige Resultat af sin Forskning. Relieffet tilhøjre repræsenterer en Modsætning til Relieffet til venstre: det hensigtsløse; forneden to Mænd, af hvilke den ene fletter et Fletværk, som den anden løser ligesaa hurtigt op; i Midten en Gruppe Indifferente; foroven en Figur, som forestiller den kimæriske Drøm. Rammen bærer øverst en dekorativ Fremstilling af en Bjærgkjæde, udført i Emalje paa Kobber.*

Jotunheim. 1892–93. O.L., træ, malet zink og emalje på kobber. 150×270 cm. Bet. J. F. Willumsen / 1892 / 1893. Acc 24.

Askeurne med valmuer

I begyndelsen af 1890'erne blev lig-brænding tilladt i Danmark og der opstod således et behov for kunstne-risk udformede urner. Med den nye ligbrændingskik var det meningen, at askeurnerne skulle udstilles i sær-lige urnehaller med nicher til hver en-kelt urne.

Da urnerne skulle bevares for ef-tertiden var det naturligt, at de blev

Askeurne med en sørgehøjtidelig-hed. 1898. Stentøj med glasur, h. 65 cm. Bet. J. F. Willumsen / · 1898 · Gave fra Ny Carlsbergfondet. Acc 1629.

udformet som særprægede, selv-stændige mindesmærker. Af ud-formningen skulle det fremgå, hvad det særlige formål var. Willumsen og flere andre kunstnere i tiden skabte disse kunstværker som svar på en praktisk udfordring.

Selv lavede Willumsen to modeller askeurner, som hver er fremstillet i tre udgaver. Askeurnen med valmue-motivet leder i sin ydre form ikke tanken hen på den særlige bestem-melse. Men den mørke glasur og blomstermotivet angiver formålet. En række valmuer i knop, i blomst og med frøkapsel fortæller om livets forgængelighed og død. Den skin-nende lustreglasur giver en stærk genspejling af lyset.

Askeurnen med sørgemotivet er udført året efter, og den er udtrykke-lig udformet som en brændeovn. De-korationen har også et motiv med di-rekte tilknytning til funktionen. For-neden står seks klagende kvinder klædt i antikke dragter i sørgestillin-ger mellem brændende offerskåle. Øverst på urnen var planlagt fem rækker flammer. På et eksemplar af urnen i Kunstindustrimuseet er an-bragt en række små gule, blå og tur-kise flammer. Desværre har Willum-sens Museums eksemplar ikke fået disse flammer.

Omtrent samtidig udførte Willum-sen en helt anden slags gravmonu-ment. Det var for hans forældre, og

Willumsens fotografi af ham selv ved forældrenes gravmonument på Den frie Udstilling. 1900.

det var usædvanligt i både størrelse og udformning. Mellem to buster sidder barnet, der i døden søger at forene forældrene. Monumentet, der var brændt i chamotteler med en anelse glasur, blev opsat på Vestre Kirkegård i København.

Askeurnerne er nogle af de bedste resultater af Willumsens keramiske produktion og samtidig nogle af de sidste arbejder, han udførte som ke-ramiker. De er brændt i hans egen ovn i huset på Hellerupvej.

Askeurne med valmuer. 1897. Fajance med glasur, h. 36,5 cm. Bet. J. F. Willumsen / 1897. Acc 1323.

Hørup-monumentet

Hørup-monumentet. 1905–1908. Bronce og granit, h. 439 cm. Kongens Have, København.

I Kongens Have i København står Willumsens monument for politikeren og skribenten Viggo Hørup (1841 –1902). Skarp som en skibsstævn, der kløver vandet eller som en plov, der vender jorden, står den trekantede granitsokkel som et symbol på Hørups gerning.

Selv står han som på en talerstol, kraftig og spændt og taler til en imaginær forsamling. Willumsen havde hverken kendt eller set Hørup, så han måtte udforme figuren på grundlag af fotografier, oplysninger hos Hørups nærmeste og ved læsning af hans artikler og taler. Selve figuren fik ikke større ydre lighed, men den blev snarere et monument over Hørups indsats. Willumsen ville vise en aktiv, handlende mand, der kæmpede for bøndernes frigørelse og folkestyrets sejr.

Der er langt fra det første udkast med den lyttende bonde til det ende-

Første udkast til Hørup-monumentet. 1905. Akvarel, 58,3 × 73,5 cm. Bet. · J · F · W · / · 29 Aug 1905. Politiken.

lige monument, hvor historien om bøndernes frigørelse bliver fortalt på soklen. Reliefferne på de tre sider viser udviklingen fra bonden på træhesten til de frie bønder, der havde opnået fuld borgerret. Fortællingen tog Willumsen fra Hørups egen beskrivelse af bondens historie i Danmark.

Monumentet var siden afsløringen i 1908 blevet kritiseret af mange og flere gange blev det foreslået fjernet fra Kongens Have. For nogle var manglen på ydre lighed en torn i øjet, for andre var monumentet for provokerende. Kritikken var dog også vendt mod Hørups politik. I 1945 kort før besættelsens ophør blev monumentet ødelagt af Schalburgkorpset. Attentater mod kunstværker blev ellers ikke brugt i schalburgtagen.

Willumsen i sit atelier med modellen til Hørup-monumentet. 1908. Fotografi Peter Newlands.

Det originale hoved fra Hørup-monumentet. 1908. Bronce, h. 41,7 cm. Monumentet blev ødelagt af Schalburgkorpset i 1945. En ny afstøbning blev opsat i stedet i Kongens Have. Acc 3.

Badende børn på Skagens strand

Da Willumsen i 1902 for første gang var i Italien, blev han fascineret af de nøgne, solbrændte drenge, der legede på stranden ved Amalfi. Han tegnede og fotograferede dem, og for 10 øre i timen stod de for ham. Willumsen arbejdede med børnene for at lære at beherske det nøgne menneske i fri luft. Om efteråret i København tænkte han på en komposition med stranden og flere drenge i forskellig afstand fra hinanden. På grundlag af fotografierne arbejdede han med hele situationen.

I 1904 var han igen i Amalfi for at arbejde videre med motivet, men der var ikke drama nok i Middelhavet. Willumsen søgte til Atlanterhavet ved Bretagne, hvor brændingen er voldsom. Han havde planlagt billedet med børnenes løb ud i vandet, afsluttet af en dreng, der rygvendt springer på hovedet. Denne kulmination skulle

fremhæves af brændingens hvide, fygende skum.

Willumsen tegnede flere skitser af børn, og ved hjælp af stokke anbragt i sandet forestillede han sig den linje, børnene skulle løbe efter. Den var nøje samstemt med strandkanten og bølgerne.

I 1906 og 1909 var Willumsen på Skagen for at arbejde videre med børnenes leg, havet og sollyset. Det blev til en moderne udgave af de sommer- og bademotiver, som P. S. Krøyer havde malet i 1880'erne og -90'erne.

Efter talrige studier, skitser, forarbejder og beregninger, malede Willumsen i 1909 generalprøven. Det foregik dels på Skagen, dels i atelieret i København. Året efter udførte han det færdige maleri, som i dag hænger på Göteborgs Konstmuseum. På hans atelierudstilling i efteråret 1910 stod det ufærdigt i det store atelier og blev

Kompositionsskitse til Badende børn. 1904. Blyant, 35 × 59,5 cm. Bet. 13 Okt 1904. Inv 342.

således udstillingens store attraktion. Det færdige maleri er dog ikke så friskt i farverne som generalprøven og en enkelt figur er ændret. Den store dreng til højre i maleriet har armene strakt ud til siderne som i en hyldest, mens han i generalprøvebilledet samler dem som til et hovedspring. I denne ændring har Willumsen understreget det dynamiske og livsbekræftende i børnenes kroppe. Han sagde selv, at alt måtte vige for hensynet til livsglæden, friskheden og sollyset, og for at opnå dette måtte han male på en anden måde end den, han plejede at bruge. Han har sikkert tænkt på de korte, hastige penselstrøg og det tykke farvelag.

Om titlen sagde han selv, at Lauritz Tuxen havde benævnt det *Sol og Ungdom*, mens han selv kaldte det *Børn på Stranden*. Han var dog utilfreds med begge titler og kaldte det oftest *Badende Børn*.

Willumsens fotografi af badende børn. Amalfi 1902 eller 1904.

Willumsens fotografi af badende børn. Amalfi 1902 eller 1904.

Badende børn på Skagens Strand. Generalprøve. 1909. O.L. 265 × 425 cm. Bet. JFW/1909. Rammen rekonstrueret. Deponeret af Skagens Museum. Gave fra Ny Carlsbergfondet.

Ravnene

Den ene ravn foran Den frie Udstillings bygning. 1954. Fotografi Lars Hansen. Politiken.

I cirka tyve år stod Willumsens store fantasifugle foran Den frie Udstillings bygning ved Østerport station i København. Selv om Willumsen også havde været arkitekt for bygningen, var fuglene ikke skabt til at vogte indgangen. De var skabt til at måle sig med skovens træer og bakker.

De to fugle var oprindelig udført til et friluftsteater i Dyrehaven. Stående i profil på høje firsidede sokler flankerede de scenen, som sommer efter sommer blev opbygget til friluftsspil. Der var premiere første gang den 4. juni 1910 med Oehlenschlägers »Hagbarth og Signe«. Of-test blev der spillet stykker, som foregik i den frie natur. Omgivelserne blev en del af sceneriet og kunsten og naturen smeltede sammen.

Til at indramme scenen brugte Willumsen to næsten fem meter høje fugle, som var lavet af træ beklædt med kobber. De afgrænsede scenerummet og holdt øje med hele optrinnet. Samtidig stod de parat til at lette med et øjebliks varsel. Som en blandform mellem ravne og duer støttede de opslåede vinger skålen på nakken, hvorfra flammer og dampe stod op.

Det har ofte været diskuteret, hvilken slags fugle de egentlig forestiller. Objektivt set er der træk fra både duer og ravne. Willumsen selv omtalte dem oftest som ravne, undertiden som fantasifugle, og i en sen alder kaldte han dem duer. Da han skulle gøre studier til dem, havde den fuglefænger han opsøgte kun kanariefugle, og derfor gjorde han studier ud af hovedet og lod fantasien have overtaget. At han valgte fugle er meget oplagt til en scene i skoven, hvor de netop spiller en så vigtig rolle. I de første udkast havde han dog kun forestillet sig nogle barokke, dekorative elementer.

Friluftsteatret lå i den nordvestlige del af Ulvedalene med scenen i dalbunden og tilskuerpladserne op ad Ulvebakken. Det var plads til omkring 4.000 tilskuere og overalt var der god udsigt til scenen og naturens fine akustik sikrede, at ethvert ord kunne høres.

Willumsen var blevet valgt som arkitekt for teatret, fordi han havde vist evner for at forene en kunstnerisk og praktisk skaben. Han havde erfaring som både arkitekt og billedhugger.

Ravnene var bygget op af et træskelet dækket med kobberplader. Et meget lidt robust materiale, da de kun stod ude om sommeren og var opmagasineret resten af året. Efter friluftsspillenes ophør blev de stillet op foran Den frie Udstillings bygning i slutningen af 1930'erne. Da de her blev offer for hærværk, blev de i 1958 skænket til det nyåbnede museum i Frederikssund. Efter omfattende restaurering er de nu anbragt udenfor museumsbygningen. De rette omgivelser må man fantasere sig til.

Friluftsteatret i Dyrehaven. Juni 1910. Fotografi Holger Damgaard. Det kongelige Bibliotek.

En af ravnene fra Friluftsteatret i Dyrehaven. 1910.
Træ og kobber, h. 474 cm. Ikke bet. Acc 1339.

Plakat til atelierudstillingen

Da Willumsen i eftersommeren 1910 holdt udstilling i sin ateliervilla på Strandagervej i Ryvangen ved København, udførte han selv plakaten. I det høje græs på engen foran huset ser vi ham i fuld gang med at male efter model. Næsten blændet af det stærke sollys står han med den nøgne mand, der indtager en alt andet end klassisk stilling. Villaens farver, grøn og rød, er gentaget i hele plakaten med disse komplementærfarvers stærke virkemidler.

Ateliervillaen havde han selv byg-

get få år tidligere på en udstykket gartnergrund, som lå i læ af en række popler. Som en monumental skulptur var bygningen formet med de to sammenløbende fløje og det runde trapperum med det spidse tag. Vindues- og døråbningerne var skabt med stor ornamental virkning. Villaen var udformet med fantasi og frihed til at dække familiens materielle behov.

Det var usædvanligt, at en kunstner åbnede sit atelier for offentligheden. Men som så ofte før søgte Wil-

lumsen nye veje. Han havde meget at vise frem: sit nybyggede hus og de seneste års rige produktion, hvorimellem der endog var flere bestillingsarbejder.

Anmelderne var enige om, at det var berigende at se de mange studier og forarbejder, som ellers ikke blev vist på udstillinger. Ydermere var det værdifuldt at se værkerne i de omgivelser, hvor de var skabt.

På fotografiet fra det store atelier ses overvejende hans nyeste værker. På gulvet står frisen med de frie selvstændige bønder fra *Hørup-monumentet,* som var blevet afsløret mindre end to år forinden. Herover hænger modellen og flere udkast til mindetavlen for Kunstindustrimuseets direktør Pietro Krohn. Den færdige tavle var blevet sat op året før.

Ved siden af hænger et maleri med to svævende drenge, og en af fuglene fra Friluftsteatret står på en sokkel under *Jotunheim.* Imellem de udstillede værker er kunstnerens arbejdsredskaber, og længere inde i atelieret står det meget store maleri af *Sol og ungdom. Badende børn,* som – selv om det endnu ikke var færdigmalet – blev betegnet som udstillingens centrum. Nogle kom for at se Willumsens værker, mens andre kom for at se hans hjem. I 1913 holdt han endnu en atelierudstilling. Det var på hans 50 års-dag, og denne gang udstillede han også sine nyeste værker.

Det store atelier ved atelierudstillingen 1910. Fotografi Holger Damgaard.

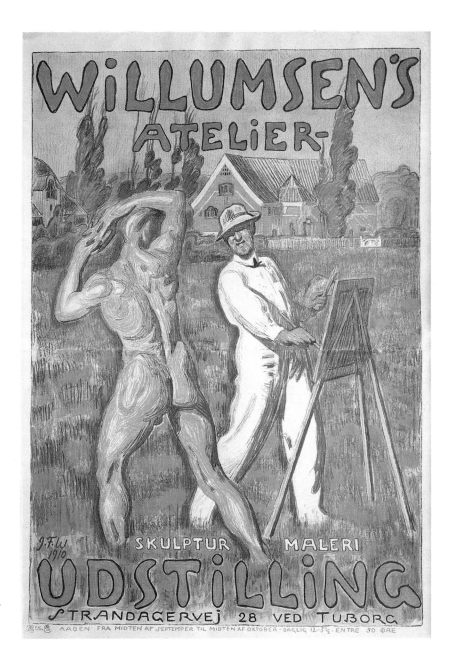

Plakat til atelierudstillingen 1910. Litografi, 125×85 cm. Bet. JFW/1910. Schultz 199.

Maleren og hans familie

Da Willumsen i 1913 holdt sin anden atelierudstilling var det første nummer i kataloget *Maleren og hans familie*. Som udstillingens dyreste billede var det sat til 10.000 kroner. Det blev i 1918 solgt til en direktør fra Århus for 14.000 kroner. I de sidste år af den første verdenskrig var der rift om Willumsens værker, og de blev købt for anseelige summer.

Willumsen har malet sig selv, mens han med sammenbidt energi udfører et portræt af Helge Melbin. Vi ser drengen sidde model, mens maleriet er udenfor rammens grænser. Portrætteringen er ikke billedets hovedmotiv. Det er derimod Willumsens kamp med opgaven og

Sophus Claussen læser sit digt Imperia for Helge Rode og Willumsen. 1915. O.L. 146,5 × 186 cm. Bet. J · F · Willumsen · / · 1915 · Aarhus Kunstmuseum.

Ediths møde med børnene.

I en voldsom fortættet stemning med en dramatisk rød rumfarve udspiller de to forskellige handlinger sig. Fuld af koncentration med pensler og palet i hænderne, forsøger maleren at samle sig om modellen. Det dystre ansigt fortæller, hvor svært det er. Moderen er netop trådt ind af døren, og mens det mindste barn hager sig fast i hendes kjole, kaster den store pige sig i hendes arme. Døtrene udstråler glæde, mens moderens ansigt er tynget af bekymringer.

Billedets mange divergerende linjer med den afskårne dug, den tilbagelænede maler og moderen og børnene, der hælder mod hinanden, er med til at understrege den intense stemning. Da maleriet allerede året efter, det var skabt, blev udstillet i USA, blev det af en amerikansk anmelder opfattet som en skildring af forstyrrelserne i en kunstners liv. »Dette billede af den danske maler J. F. Willumsen har en selvbiografisk såvel som en bredere opfattelse. Hr. Willumsen synes at spørge: Hvordan kan en mand give sin kunst en ubetinget troskab, når han bliver forstyrret af 1000 krav fra hjemmet og familien?«

Da han tre år senere malede forfatteren Sophus Claussen, lagde han igen vægt på det mellemmenneskelige drama med en gribende og fortættet stemning.

Maleren og hans familie. 1912. O.L. 229,5 × 242,5 cm. Bet. J.F. Willumsen · København · / · 1912 · Depo-
neret af Nationalmuseum, Stockholm.

En fysiker

I 1912 fik Willumsen en bestilling på et maleri til ingeniøren og industri-manden G. A. Hagemanns nye villa. Han ejede allerede Willumsens maleri af *En bjergbestigerske* fra 1904, og det nye billede blev udført som en pendant. Bjergbestigersken er en fri kvinde i et bjerglandskab, som hun helt synes at beherske. En mand stærkt optaget af sit arbejde i et laboratorium var ligeledes en intens skildring af en person i nær kontakt med det omgivende miljø.

Som emne for billedet skrev Willumsen til Hagemann, at det skulle være noget videnskaben og eksperimenteringen vedrørende som passer i Deres ånd. Han tænkte sig en ung videnskabsmand stående i sin arbejdsdragt i sit laboratorium, beskæftiget med at eksperimentere med elektriske lysstråler. Hagemann var indtil 1912 rektor for Polytek-nisk Læreanstalt, hvor han med stor energi og for egne midler havde op-rettet et elektro-teknisk laboratorium. Og samtidig var han aktivt med i lægen Niels R. Finsens arbejde for at udnytte lysets muligheder til sygdomshelbredelse. Værket var ikke et portræt af Hagemann, men det blev udformet i pagt med hans ånd og arbejde.

De tre forskellige lyskilder i billedet fremkalder den tætte, intense stemning og understreger det eksperimentelle. Særlig fremhævet bliver

Willumsen i det store atelier med En fysiker på atelierudstillingen 1913. Fotografi. Det kongelige Bibliotek.

fysikerens kittel og hans belyste ansigt. Det er en videnskabsmand midt i sit arbejde. I dette motiv har Willumsen haft mulighed for at male et billede med dominerende lyseffekter og skarpe kontraster. Lyset er drevet op med en foruroligende styrke, som smitter af på hele interiøret. Malerisk er det et resultat af den dybe interesse, han nærede for El Greco i netop disse år.

Willumsens Museums udgave af *En fysiker* er af Willumsen selv be-tegnet som en generalprøve – det sidste forarbejde før det færdige værk. Dette hænger nu sammen med *En bjergbestigerske* på Hagemanns Kollegium i København.

På et fotografi fra det store atelier står Willumsen som en eksemplificering af lighederne mellem en videnskabsmands virke og en kunstners virke. Ved siden af var udstillet et andet nyt maleri *Stenbrud nr. 2. Fantasi over et menneskeliv,* som i dag hænger på Malmø Museum.

En fysiker. Generalprøve. 1913. O.L. 208,5×170 cm. Bet. J · F · W / · Juni 1913 ·
Gave fra Ny Carlsbergfondet. Acc 1317.

Naturskræk. Efter stormen nr. 2

Willumsens fotografi af Edith på stranden ved Bretagne, 1904.

Da Willumsen i 1904 var taget til Atlanterhavet for at arbejde med udkastene til de badende børn på stranden, gjorde han også studier til et helt andet strandbillede. Han var kommet for at male havet, og da han havde svært ved at beregne størrelsesforholdene, bad han Edith om at stå model for sig.

Tidlig om morgenen løb Edith nede ved vandet, og i fotografier fastholdt han kysten, både med og uden hende. Han begyndte på et maleri, hvor naturen bliver det brutale element, som voldsomt knuser mennesket. Kvinden og hendes barn flygter fra det oprørte hav og solens eksplosive lys. Det knuste skibsvrag har fremkaldt kvindens sorg og desperation. Hun magter ikke engang at tage sig af barnet.

Willumsen gjorde studier til billedet ved Pouldu i Bretagne og malede det færdigt i Paris.

Godt ti år senere, da Willumsen boede i Sydfrankrig, vendte han tilbage til motivet og malede et nyt stort billede med variation over det samme tema. Han skrev i 1916 til en veninde, at han i vinterens løb havde lavet en ny udgave af Konen på stranden. Men da direktøren for Nasjonalgalleriet i Oslo, som nu ejede det første billede, kunne blive gal i hovedet, når han hørte det, så var det vist bedst at tie stille med det foreløbig. Det var dog ikke usædvanligt for Willumsen at vende tilbage til et motiv og behandle det på en ny måde. I 1891 og i 1913 skabte

Efter stormen. O.L. 105 × 153 cm. 1905. Bet. J · F · W / · 1905 · Nasjonalgalleriet, Oslo.

han to forskellige versioner af et stenbrud. Begge gange fremstilles menneskene som slaver af deres arbejde.

Willumsen har udeladt det kæntrede skib og nu synes han, at havet er blevet endnu mere vildt og uhyggeligt. Han føler, han er kommet nærmere sin oprindelige idé til Naturskræk. Kvinden synker helt sammen i fortvivlelse, og havet og solen slår sammen om hende. Det er her illustreret endnu tydeligere, hvordan naturen kan knuse mennesket.

I tiden efter århundredskiftet malede Willumsen en række store billeder med natur og mennesker. Hver gang med en vidt forskellig balance og styrkeprøve mellem de to elementer.

I et brev til Edith Willumsen allerede i 1901 skrev han, at han længes efter at fremstille mennesker. Landskaber kan være så storslåede, de være vil, de er dog kun baggrund for menneskets eksistens. Landskaberne er blevet rigere efter de er blevet befolket med mennesker og dyr. Han sluttede med at konstatere, at en mand for eksempel forstærkes ved at have en skøn stor bjergmasse bag sig, ligesom en mild og rund kvindefremstilling forstærkes ved at have et idyllisk og blødt landskab bag sig. Senene udviklede han temaet og lod naturen have forskellige ansigter for at understrege menneskets situation.

*Naturskræk. Efter stormen nr. 2. 1916. Olie og tempera på lærred, 194×169 cm. Bet.
J · F · Willumsen / · 1916 · Inv 331.*

Invasionen

Albrecht Dürer: Apokalypsen. De fire ryttere. Træsnit, 39,5 × 28 cm. Kobberstiksamlingen.

Som de fire ryttere i Albrecht Dürers træsnit fra 1498 af Johannes' Åbenbaring, rider hen over jorden, sådan rider Willumsens krigere også. Krig, pest, hungersnød og død rider i samtidens tyske dragter hen over en menneskehob, som bliver totalt nedtrampet og udslettet.

Under første verdenskrig boede Willumsen i Sydfrankrig, hvor han følte sig isoleret. Krigen væmmedes han ved og i flere raderinger skildrede han den gru og ødelæggelse, som stormagternes kamp førte med sig. I *Invasionen* udtrykker han sin afsky ved at vise militærets hensynsløshed overfor civilbefolkningen.

En hær kommer ridende hen over markerne, hvor fortroppen mejer bønderne ned. Med sværd og lanser tromler invasionsstyrken frem, og hestehovene tramper manden og kvinden ihjel. I dødskampen knuger han om spaden. Rytterne driver hestene frem og Willumsen har gjort dem gradvis mere og mere desperate. Både hestene og menneskene fremstår som vilde dyr i færd med bestialske gerninger.

I en række blyantsskitser er desperationen gennemarbejdet, så det gør ondt. De er fremkaldt af ægte harme og fortvivlelse. De foregriber den heftighed og forbitrelse, som fik Picasso til at male *Guernica* et par årtier senere.

Ud over de tegnede skitser arbejdede Willumsen længe med selve raderingen. Før han nåede frem til det endelige blad, havde han foretaget betydelige ændringer. Hele ni gange tog han aftryk af den ændrede plade, før han var tilfreds. Det var særlig det dramatiske spil mellem de lyse og mørke partier, han arbejdede med. Han mente, at det var hans bedste radering, men den havde også kostet ham omtrent to måneders dagligt arbejde.

Willumsen havde i 1916 efter mange års pause genoptaget radererarbejdet. Fra Paris havde han fået en trykpresse, og han trykte selv alle pladerne. Det var et stort arbejde, men i Danmark var der efterspørgsel

Udkast til Invasionen. Blyant på papir, 18 × 23 cm. Ikke bet. Inv 628.

efter bladene, der blev sendt hjem, så snart de var tørre.

Flere gange behandlede han motivet med mennesket som offer for militarismen. Han oplevede krigens grusomhed som en konsekvens af nationalisme og militarisme. I et brev fra 1919 drøftede han den humanitære hjælp under krigshandlinger, som kan være nok så reel og nyttig. Men selv håbede han, at hans indsats ville have sin virkning i det lange løb og muligvis få indflydelse på menneskenes forhold til hverandre.

Invasionen. 1917. Radering, 42,9×55,7 cm. Bet. J. F. Willumsen 1917. Schultz 59.

Aftensuppen

»Lampelys. Edith og de to Pigebørn ved Middagsbordet. Edith øser op af Suppen. Lampen straaler som en Sol over Figurerne. Prisen? Edith siger at jeg ikke maa sælge det under 25.000 Kr., hun vil selv beholde det hvis ingen vil give den Pris. Jeg tror det er et af mine allerbedste Billeder. Circa Bredden 2,50 Meter / Højde 1,60«.

Sådan beskrev Willumsen *Aftensuppen,* da han i sommeren 1918 skulle fortælle Alice Bloch, hvad han havde stående til de »Købelystne«. Mens han var i Sydfrankrig, arbej-

dede hun i København ihærdigt på at skabe et marked for hans kunst.

Willumsen var særdeles tilfreds med den store interesse for hans arbejde og fulgte i en omfattende korrespondance med Alice Bloch med i alle bevægelser. »Min Oplevelse foregaar for Tiden i København og den har De forskaffet mig«.

Han var træt af at være låst fast i Sydfrankrig, hvor han levede med sin kone og to døtre uden megen

Skitse til Aftensuppen. Pastel, 49,5 ×64 cm. Ikke bet. Inv 452.

daglig kontakt med omverdenen. I vinteren 1917/18 malede han det store billede af familien ved middagsbordet. Det er med en intens og dramatisk stemning, han har fortalt om sin families liv. Stemningen er i det grænseland, hvor had og kærlighed mødes.

Der ligger mange studier til grund for *Aftensuppen.* Willumsen begyn-

Skitse til Aftensuppen. 1918. Pastel, 65×50 cm. Bet. 26 Februar / 1918. Inv 222.

der at tegne figurerne, og det der står på bordet. Men efterhånden som arbejdet skrider frem, skruer følelserne sig op i en overnaturlig virkelighed, og sceneriet ligger badet i lampens stærke, gule lys.

Netop i disse år var Willumsen stærkt optaget af El Greco. Dennes dramatiske brug af lyset og udtryksfulde personer har Willumsen været inspireret af. Sydens lys betød alt for hans farver og for at få dem stærke, brugte han i denne tid pastelfarver til sine skitser.

Skitse til Aftensuppen. Pastel, 65 × 49,7 cm. Ikke bet. Inv 453.

Aftensuppen. 1918. O.L. 160×231 cm. Bet. J · F · Willumsen · 1918 · Inv 334.

Kunsthistorikeren Vilhelm Wanscher teoretiserer

Da Willumsen ville male et portræt af arkitekten og kunsthistorikeren Vilhelm Wanscher, arbejdede han sig frem til en form, som særlig passede til Wanscher. Willumsen erklærede, at han ville male et portræt med kunsthistorie og teori i. For at konkretisere dette anvendte han Wanschers netop udkomne bog om Rafaels liv og værker. Ved hjælp af radiære linjer, cirkelslag og lodrette linjer havde Wanscher søgt at analysere et af Rafaels malerier.

Denne tegning har Willumsen benyttet som baggrund og samtidig gentaget det spejlvendte linjenet. Det ene net peger mod Wanschers hoved, det andet mod hans hjerte. Det kan være Willumsens kommentar til en intellektuel opfattelse af kunst i modsætning til en følelsesmæssig oplevelse.

I skitserne kan man følge arbejdet fra en næsten rektangulær ramme til den specielle form, som fremhæver motivet og markerer Wanschers skulpturelle hoved. Det var helt i Wanschers ånd at arbejde med formen.

Rammens højre svungne side følger cirkelslaget gennem kvinden og den venstre side er buet for at få hele den rygvendte kvinde med. Det lige stykke er stillet skråt for at være parallelt med Wanschers underben.

Da Willumsen i 1919 begyndte på

Opslag i Vilhelm Wanschers bog om Rafael fra 1919.

portrættet, udførte han et par litografier, hvor Wanscher blot sidder på en stol med en neutral baggrund. Først i 1923 blev selve portrættet gjort færdigt, så han kunne nå at få det med på sin 60-års jubilæumsudstilling på Den frie Udstilling.

Willumsen og Wanscher havde kendt hinanden i mange år og Wanscher havde skrevet flere artikler om Willumsens kunst. I 1937 skrev han desuden en bog om J. F. Willumsen.

Skitse til Vilhelm Wanscher. Blyant og oliekridt, 48,5×42 cm, beskåret. Ikke bet. Acc 1614.

Skitse til Vilhelm Wanscher. Blyant og oliekridt, 47,5×52 cm, beskåret. Ikke bet. Acc 1615.

Kunsthistorikeren Vilhelm Wanscher teoretiserer. 1923. O.L. 292×221 cm. Bet. J · F · Willumsen / · 1923 · Inv 336.

Det store Relief, 1890'erne

Groteske musikanter. 1893. Gips. 49 × 198 cm. Bet. Dec 1893. Acc 121.

Skitse til Det store Relief. 1893. Blæk, 17 × 21,7 cm. Bet. 20 December 1893. Notesbog begyndt 6.12. 1892, notater om Det store Relief 4.11.1893–30.1.1899.

Udkast til Det store Relief. 1894. Gips, 94 × 187 cm. Ikke bet. Acc 120.

Der kom til at gå mere end 35 år fra Willumsen første gang tænkte på et stort relief, til det i 1928 blev afsløret på Statens Museum for Kunst i København. Da han startede på det, troede han selv, at han kunne blive færdig på halvandet til to år.

Han begyndte på relieffet i 1893, da han var knap 30 år gammel. Det var ikke en uafbrudt arbejdsindsats, men et projekt, som han periodevis var meget optaget af. I sidste del af 1893 og hele 1894 arbejdede han med det i Paris, og igen fra 1896 til 1899 i København. I 1920'erne, da han havde fået den officielle bestilling på relieffet, var han atter engageret med den endelige udformning og udførelsen i marmor. En stor væg med gips var allerede blevet opsat i villaen på Strandagervej i perioden op til første verdenskrig. Willumsen ændrede løbende på udformningen, og der var stor udvikling i både helheden og de enkelte figurer. Den samme opbygning med de to hovedfigurer blev fastholdt, men stilen var ændret fundamentalt.

Ideen til relieffet fik han på sin første rejse til USA, hvor han besøgte Verdensudstillingen i Chicago. Han tænkte på en væg i en bar i Chicago, som var en by, der var inde i en rivende udvikling. Væggen skulle udføres i keramik indlagt med andre materialer som træ, bronce, marmor og perlemor. Formålet skulle være at fornøje gæsterne og give dem kraft til at fortsætte udviklingen af deres egne evner.

Da Willumsen var tilbage i Paris om efteråret 1893, gik han i gang med skitserne til relieffet.

En del af relieffet var en række musikanter, der er helt domineret af deres instrumenter. I deres virken i forlystelsernes tjeneste er de blevet totalt ødelagte og forkuede. De er blevet undertrykte og deformerede af deres instrumenter. På en tegnet skitse fra december måned har han forestillet sig musikanterne øverst i relieffet, men uden at de er samarbejdet med resten af kompositionen. Han forlader dog dette motiv, det kommer ikke til at optræde mere i relieffet.

I den tegnede skitse har Willumsen forneden sat to kæmpefigurer, der på deres udstrakte arme bærer andre

Willumsens fotografi af atelieret i Paris. 16.8.1894.

Willumsens fotografi af Reflektion. Ca. 1896.

store figurer. Til venstre er fremstillet parodien i form af en kvinde, som drager ud til kamp klædt i mandsharnisk og knælende ved siden af hende en mand klædt i kvindedragt. Til højre står en kvinde, der skal virke opmuntrende og derudover er der en række mindre figurer. Forneden er det sted, hvorfra det hele opstår, som Willumsen mente, man ikke rigtig forstår. Som dukkede de op af et hav, er de to hovedfigurer afskåret ved livet. Ligesom de øvrige hovedfigurer fremstår de som et par, der er forbundet med armene.

I gipsrelieffet har Willumsen fulgt sit tegnede udkast, blot har han fjernet de groteske musikanter og anbragt et par bag den dansende kvinde.

I en notesbog nedskrev han omhyggeligt, hvilke tanker han gjorde sig om udformningen. Imellem noterne tegnede han skitser og indklæbede fotografier af de udkast, han havde udført. Fra begyndelsen af november 1893 til begyndelsen af februar det næste år, kan man følge hans tanker om relieffet. Han kæmper med at realisere sine ideer og give dem en form og et materiale, som understreger meningen. Teksten giver flere steder anvisninger til forståelse af de enkelte figurer og undertiden forekommer hans tanker meget svært forståelige.

Til sidst fastslår han, at arbejdet ikke er gjort for at vise verden, hvad han er i stand til, men for at vise tilskuerne, hvilken søgen og tvivlsperiode de må igennem for at blive mennesker med klare tanker. Willumsen søgte at fremstille tilværelsen med dens mangfoldighed af gode og dårlige muligheder.

Da han havde afsluttet arbejdet med indholdssiden og udført mange udkast og skitser og foretaget beregninger af størrelserne og proportionerne, kunne han gå i gang med at udføre det i stort format. I begyndelsen af maj 1894 satte han en stor væg op i ateliet i Paris, og på hans eget fotografi fra august måned sidder han på stigen og måler sig selv i forhold til figuren. Et omhyggeligt opstillet spejl gengiver også figurens ansigt i profil. Den anden figur er tildækket med vådt klæde, for at holde leret fugtigt.

Da Willumsen i slutningen af 1894 rejste hjem til København, genopbyggede han væggen med relieffet i sin nye villa i Hellerup. Mens den venstre side med krigeren og manden i kvindedragt blev fastholdt, ændrede han flere gange på motivet i højre side.

I Hellerup, hvor han havde en keramisk ovn, fik han brændt tre af kolossalhovederne – mere blev det ikke til. Reflektion, der kan betragtes som et selvportræt, blev brændt i fire eksemplarer. I sin glæde over resultatet har han båret det ud i haven for at fotografere det.

Willumsens fotografi af relieffet i Hellerup. 1897–98.

Det store Relief, 1920'erne

Da Willumsen i september 1923 fyldte 60 år bestilte den danske stat *Det store Relief*. Det skulle udføres i marmor og opsættes på Statens Museum for Kunst i København. Da Willumsens Museum blev bygget blev det flyttet til Frederikssund. Museet blev indrettet med henblik på relieffet, og det fik sidelys, som Willumsen mente var så vigtigt for oplevelsen af skulpturen.

Relieffet blev udført i forskelligfarvet marmor, sten og forgyldt bronce. Det blev hugget i marmorbyen Carrara i Italien i Lazzarinis værksted. Willumsen overvågede arbejdet og havde selv udvalgt de forskellige typer marmor. Farverne var ingenlunde uvæsentlige. Da figuren af manden i kvindedragt var hugget med en hudfarve, der virkede for

Det store Relief. Udkast med forsøg af farver. 1925. O.L. 108 × 145 cm. Bet. J · F · W / 21 januar 1925. Inv 70.

karakterfuld måtte den laves om i en blegere farve.

I en tekst fra 1928 redegør Willumsen for relieffets indhold:

»*Det store Relief,* et Stykke Musik, er udført i Marmor og andre Sten af forskellig Farve samt i forgyldt Bronze og indeholder en Sammenstilling af symbolske Typer for Willumsens Syn paa Tilværelsen og Menneskelivet.

To Giganter er anbragt i Midten af den store Flade og deler Relieffet i to Halvdele, en positiv og en negativ Side. Dette svarer til en noget lignende Idé, som Willumsen har udtrykt i de to Relieffer, som han har anbragt paa Rammen af sit Jotunheim Billede.

Den ene Gigant, ham til venstre, synes at forestille den kolde »Refleksion« eller maaske rigtigere den kolde »Beregning«. Paa hans udstrakte højre Arm ses foroven til venstre to store Figurer, en Mand i Kvindedragt, kaldet »Svagheden«, tyranniseret af en Kvinde, en brynjeklædt Furie, kaldet »Krigen«. Under disse to frastødende Skikkelser styrter Menneskesamfundets Ulykkelige, »de forpinte«, i Dybet.

Den anden Gigant, ham til højre, der holder den første i Haanden, har milde Ansigtstræk, han maa nærmest opfattes som »Umiddelbarheden« eller »Instinktetet«, hans Øjne er tillukkede. Paa hans udstrakte

venstre Arm staar to store Figurer, en Mand »Arbejderen«, Symbolet paa Vilje og Daad, og »en Kvinde«, der beundrende og kærligt trykker Arbejderens venstre Haand til sit bankende Hjærte.

Omkring disse seks store Symboler eller Typer er en Mængde mindre Figurer. Disse følger nogle bølgende Linjer, der begynder i det lave Relief i Baggrunden, gaar ind under »Reflektionen«s højre Arm og derefter frem foran de to Giganter. Figurerne er Mennesker, der på deres Vej gennemgaar forskellige Sjælstilstande, som ubekymret Hvile, Angst, Lidelser for at ende i den højeste Livslykke, som er udtrykt ved »det unge, forelskede Par«, den forgyldte Bronzegruppe, der er anbragt foran »Arbejderen« og »Kvinden«.«

Ikke fuldendt gips-model til Det store Relief. (1923/24). Fotografi Julie Laurberg, med Willumsens skraveringer.

Det store Relief. 1893–1928. Flerfarvet marmor og andre stenarter samt forgyldt bronce. 440×646 cm. Bet. J · F · Willumsen 1893–1928. Deponeret af Statens Museum for Kunst. Købt med tilskud fra Ny Carlsbergfondet. Acc 2.

Selvportræt i malerbluse

Willumsens fotografi af sig selv i sin arbejdsstue, København. 1899.

Da Willumsen den 7. september 1933 fyldte 70 år malede han et portræt af sig selv. Træt og udslukt står han uden energi foran et ubegyndt lærred. Den plettede malerkittel hænger på den tunge krop, mens højre hånd holder et tegneredskab, som skal bruges på det rene lærred. Det melankolske og desillusionerede bliver understreget af rummets skarpe, røde farve og den mørkere kontur omkring figuren.

Billedet blev malet på selve fød- selsdagen og i dagbogen noterede han, at han var ganske ene og dagen gik med arbejde som på enhver anden hverdag. Om maleriet sagde han, at så ved eftertiden, hvorledes han så ud, da han nåede »Støvets Aar«. Og så levede han dog endnu et kvart århundrede!

Man kan godt fornemme, at nogle svære år er gået forud. Willumsen havde opløst sit mangeårige samliv med Edith Willumsen, og arbejdet med *Det store Relief* var afsluttet. Anmeldelserne var blandede og efter så mange års slid, var det en stor skuffelse.

Da han i 1937 lod sig fotografere i sit atelier, tog han igen den plettede malerkittel på, men stiller sig helt anderledes virkningsfuldt an. Personen er den samme, men dynamikken er vendt tilbage og han er igen optaget af sit arbejde. Tomrummet er elimineret og fyldt op med det, der optager ham. Han måler sig med stigen og bag ham er maleriet af hans egen nøgne krop fra *Trilogien Tizian døende,* og ved siden af flere af hans portrætter af Michelle Bourret.

Knap fyrre år tidligere havde han fotograferet sig selv i sin arbejdsstue. Den unge mand er dybt koncentreret om at dekorere en krukke. Profilen er skarp og stram, mens hans stentøjsselvportræt ses forfra. At han har anbragt Thorvaldsens lille portrætstatue er ikke nogen tilfældig- hed. Han drømte om en lignende international succes.

Willumsen har ofte fremstillet sig selv, og hver gang kan man tydeligt aflæse hans følelsesmæssige situation. Som en rød tråd gennem hans omfattende produktion går hans portrætter. Mange gange har han gengivet sig selv, og det er hver gang hans sindsbevægelse snarere end hans egentlige udseende, der er beskrevet. Han har med stor omhu iscenesat sig selv for at fremhæve, hvad der i særlig grad optog ham.

Willumsen i sit atelier i Nice. 1937. Fotografi.

*Selvportræt i malerbluse. 1933. O.L. 119×117 cm. Bet. J · F · Willumsen / Sept – 7de / – 1933 –
Inv 69.*

Canal Grande i Venedig

I 1930'erne var Venedig Willumsens foretrukne by. Han malede en række farvestærke billeder fra lagunestaden med folkelivet og de skiftende belysninger. Willumsen fandt sin helt egen måde at fremstille dette særprægede sted på. Med hans specielle sans for farver får hvert eneste prospekt sin særlige kolorit afhængig af belysningen. Flere gange er det en natbelysning med månens fosforglans, som får alt til at skinne gult. I tordenvejr bliver det hele farvet lyst rosa og hver gang understreger den dramatiske himmel den eventyrlige stemning. Den omhyggelige indfarvning af rammen bliver en vigtig faktor i billedvirkningen.

Med en arkitekts sans for bygningsværket har Willumsen redegjort for bygningsblokkene og for de

Oppe på Campidoglio. 1931. O.L. 73 × 92 cm. Bet. J · F · W / · 1931 · Inv 49.

mange detaljer. Han giver ikke en nøjagtig gengivelse af paladserne, men en stemningsrapport. Undertiden flytter han på bygningerne og sætter dem sammen på en ny måde. Flere enkeltheder er også ændret efter hans formål. I maleriet fra Canal Grande er de to paladser gengivet korrekt, der er blot fjernet en bygning til højre.

De mange yndefulde gondoler er et væsentligt element. De sejler på kryds og tværs og med de stærke spejlinger i vandet øger de indtrykket af det urolige og hektiske liv. Det er en variation af det bevægelsesmotiv, der går som en rød tråd gennem Willumsens kunst.

Flere år før denne række af malerier fra Venedig forsøgte han at få hold på motivet, men uden held. I et

Notre Dame og de fattige fiskere ved Seinen. 1934. O.L. 73 × 90 cm. Bet. J.F.W / · 1934 · Inv 104.

brev skrev han: »Jeg er i Venedig. Jeg har altid ønsket at male noget fra denne By; men hvorledes jeg skal begynde paa den – hvorledes jeg skal gribe den an er mig ikke helt klar. Og i Dag da jeg netop skulle begynde, kommer dette Uvejr ... Begynder det først at regne her i Venedig ... kan jeg ligesaa godt rejse hjem med det samme«.

Da han senere fandt en form at male byen på ville sådan et uvejr netop have været velkommen. I 1930'erne oplevede han i Venedig en ny lykke med danserinden og malerinden Michelle Bourret. Det forløste måske hans muligheder for at få hold på Venedig. Han skildrede byen på en sådan måde, at det ikke kunne være gjort noget andet sted. Det var nøje knyttet til farverne, lyset, stemningen og lydene.

Da han i den samme periode malede i Rom og Paris, var det helt anderledes. I Rom var han fængslet af de store åbne pladser og de mægtige bygningsværker med de regelmæssige facader. Det tørre og støvede og de gulkalkede bygninger dominerer hans gengivelse af denne hovedstad. I Paris har han særlig heftet sig ved det grå skær, der ofte er over byen. Hvert sted bliver gengivet med sin egen egenart og sit særlige udtryk. Det er opfattet som helheder, og der er oplagte ligheder med teaterdekorationer.

To paladser med have ved Canal Grande i Venedig. Nat med ny måne. To gondoler. Til højre Palazzo Contarini dal Zaffo. O.L. 73×93 cm. Bet. J · F · W / · 1934 · Inv 97.

Trilogien Tizian døende

Tizian døende. Første billede af serien Tizian døende. 1935. O.L. 300 ×250 cm. Bet. J · F · Willumsen / - 1935 - Inv 105.

Da Willumsen var i 70'erne, malede han en serie på tre selvportrætter, som skulle give eftertiden et billede af denne særprægede kunstner. Han kaldte dem Tizian døende efter den italienske renæssancekunstner, men ansigtstrækkene er hver gang hans egne.

Han ville ikke sætte punktum for sin egen eksistens, men fremstiller en aktiv handling. Helt bogstaveligt bryder han igennem til fremtiden og giver sig selv en fysisk og eksistentiel genfødsel. Han nægter at anse sin

indsats for udtømt og giver en anvisning på, hvorledes eftertiden kan opleve ham. På denne måde skaber han en helhed i sin kunstneriske livsbane ved både at afrunde og videreføre den.

I det første billede i serien falder kunstneren ind i en mørk hule, mens paletten og penslerne er faldet til jorden. Hans gerning som maler er ophørt. I seriens andet billede ligger en helt nøgen, grå skikkelse i graven og kæmper med bind for øjnene med døden. I det tredie er han genopstået og svæver med sin egen overkrop og tigerunderkrop i himmelrummet. Den højre hånd er lukket som holdt den et imaginært tegneredskab.

I alle tre billeder er bevægelsesmo-

Stenstatuen. Ikke se, ikke høre, ikke ville. Andet billede af serien Tizian døende. 1937. O.L. 250×300 cm. Bet. J · F · Willumsen / · 1937 · Inv 117.

tivet fremherskende, som i så mange af hans øvrige værker. I det første billede fremhæves bevægelsen af de udstrakte arme og de bøjede ben, der modsvares af de tunge, ubevægelige sten. I graven ligger han ikke stille, men stemmer den ene fod mod væggen og trækker i bindet foran øjnene. I himmelrummet sejler sfinxen mod venstre, mens solens stråler strømmer i modsat retning.

Det stærke lys i billederne understreger yderligere disse bevægelser. I det første billlede bliver han næsten blændet af et stærkt lys og i det andet billede er lysfeltet skarpt markeret. I det sidste billede fortsætter solens stråler helt ned på jorden.

Umiddelbart kan det være svært at forstå den dybere mening med disse tre billeder. Og endnu foreligger der ikke en fyldestgørende tolkning. Selv var han meget tilbageholdende med at anvise forklaringer.

Titlerne har han selv udformet og nogen egentlig lighed med Tizian er det svært at få øje på. En sammenstilling med Michelangelo havde været mere oplagt. Her er flere ligheder med personen og hans mangeartede værker. De to første billeder kan ses som en tolkning af Willumsens død, mens det tredie kan være en genopstået og eviggørelse af hans kunstneriske liv. Med stort mod har han forsøgt at skildre sin egen død og sin egen gåde.

Himmelgåden. Tredie billede af serien Tizian døende. 1938. O.L. 250×300 cm. Bet. Jens Ferd. / Willumsen / · 1938 · Inv 125.

J. F. Willumsens værk og liv

J. F. Willumsen var en af de mest alsidige billedkunstnere i Danmark. Igennem sit lange liv var han til stadighed brændende optaget af kunstneriske spørgsmål. Han udtrykte sig i alle de billedkunstneriske medier, der stod til hans rådighed, og han stillede hele tiden nye fordringer til sit arbejde. En stor del af sit liv boede han uden for Danmarks grænser. I sit hjemland følte han sig forkætret, og i udlandet mente han ikke, at han fik den anerkendelse, han fortjente. Kendsgerningen var dog, at J. F. Willumsen var en kunstner, der vakte stor opmærksomhed. Gennem mange år blev hans værker på Den frie Udstilling imødeset med spænding og nærmest skuffelse, hvis de ikke virkede tilstrækkelig overraskende og udfordrende.

Willumsen som maler

Selv om Willumsen arbejdede med mange forskellige billedkunstneriske udtryk, var maleriet dog hans foretrukne medie. Han malede hele livet og malerierne udgør langt den største del af hans produktion. I deres tematiske og formmæssige spændvidde fra periode til periode afspejler de, hvor vidt forskellige maleriske problemer, han arbejdede med.

I 1880'erne, der var hans læreår, malede han i naturalismens ånd med et socialt engagement, som flere af hans jævnaldrende også gjorde det.

En bjergbestigerske. 1904. O.L. 206 × 169 cm. Bet. 1904. J.F.W. Rammen er ikke mere omkring billedet. Hagemanns Kollegium.

Willumsen malede modelbilleder, optrin fra sine rejser i Danmark, og i 1888 *Kongesønnens bryllup,* som havde et klart socialt sigte.

Det virkelige gennembrud som maler fik han i 1889, hvor han på sin første udenlandsrejse opholdt sig i Spanien og Paris. Farven blev fuld af lys og motiverne fik overraskende afskæringer og synsvinkler. I *Vinterdag på Montmartre* (Statens Museum for Kunst) ser man skråt op af en brolagt vej og i *Gade gående ned-*

ad i Alora (Davids Samling, deponeret på Den Hirschsprungske Samling), stråler lyset fra den faldende gade.

Ved det næste pariserophold i 1890 og de følgende år udførte han flere symbolistiske billeder med en forenkling, som særlig fremhævede bevægelsesmotivet. Han ønskede at skildre nogle realiteter fremfor at give et billede af en øjebliksstemning. I beskrivende tekster i udstillingskataloger søgte han at understrege det ofte lidt spekulative indhold. Det var symbolismens fordring at ideerne skulle have en synlig form i et symbolsk sprog. Og Willumsen anvendte symbolismens forenkling med en dekorativ fladebehandling uden detaljer.

I sidste del af 1890'erne koncentrerede Willumsen sig om andet end maleri og efter århundredskiftet tog han helt nye emner op på en ny form. I en række store ekspressionistiske malerier skildrede han forholdet mellem naturen og mennesket. Det enkelte individ blev sat op imod naturens kræfter og tidens almindelige dyrkelse af kroppen blev understreget. I *En bjergbestigerske,* 1904 (Hagemanns Kollegium) henter en fri kvinde som fjeldvandrer kraft og overskud i naturen. Hans naturopfattelse og oplevelser i bjergene forløste disse følelser. I malerierne af børnene på stranden og den enlige kvinde ved havet viste han naturen fra diametralt modsatte sider.

I det næste tiår fik hans rejser i Middelhavslandene stor betydning sammen med hans studier af El Grecos malerier. Farverne bliver stærkere og mere intense og en række folkelivsbilleder er malet med rene, klare farver. I personbillederne fra disse år er farven drevet så højt op, at det får konsekvenser for stemningen. Til skitserne fra disse år benyttede han pastelkridt, fordi det mest ideelt gengav det skarpe sollys og den rene kolorit.

I 1920'erne, hvor Willumsen arbejdede med *Det store Relief,* udførte han kun få malerier. Til gengæld malede han meget i 1930'erne. I Venedig, hvor han ofte opholdt sig i disse år, malede han på en helt speciel måde med grelle, surreelle farver den særegne atmosfære. Han malede desuden en del bjergbilleder, naturstemninger både med og uden dramatiske effekter. En særlig kraftpræstation er *Trilogien Tizian døende* med de tre selvportrætter, hvor han opsummerer mange af sine tidligere ideer. De er et sent eksempel på Willumsens ambitiøse forsøg på at tænke og male sig igennem filosofiske og eksistentielle spørgsmål.

I sin sene alderdom malede han stadig store billeder og ofte er hans muse Michelle Bourret modellen. Undertiden hjalp hun med selve malerarbejdet.

Willumsens udvikling som maler kan stort set anskues tiår for tiår.

Udviklingen er ikke hele vejen fortløbende men foregår i spring.

Willumsen som grafiker

Selv om Willumsen blot havde været grafisk kunstner, ville hans produktion være fuldt tilstrækkelig til en markant placering. Han har udført både raderinger, litografier og træsnit, og indenfor hver teknik har han udnyttet dens særlige kvaliteter.

Raderingerne falder i to adskilte perioder, den første fra 1885 til 1891 og den anden fra 1916 og fremefter. I den første periode udfører han virkelighedstro optrin og senere blade med motiver fra København, hvor han fremhæver træk ved byen og

Konerne på Evian Marked. 1917. Radering med Willumsens tekniske notater, 23,4 × 15,7 cm. Schultz 61.

dens indbyggere. Den ublide modtagelse af *Frugtbarhed* i 1891 fik ham til at lægge raderingen væk.

Opflammet af 1. verdenskrigs rædsler udførte han flere stærke raderinger med motiver fra krigsskuepladsen. Raderingens dramatiske effekter var dækkende for de gribende optrin. Ved siden af skildringen af krigens grufuldheder fastholdt han ved samme virkningsfulde teknik særlinge, han havde mødt i sydeuropæiske lande. De blev aldrig udleveret i skildringen, men fremstillet med en indforstået humor.

I litografi udførte Willumsen flere plakater, der med monumentalitet reklamerede for Den frie Udstilling og hans egen atelierudstilling. Fra 1910 udførte han en række litografier med helt andre motiver end raderingernes emner. Hjemmelivets glæder blev gengivet i streg, hvor han hurtigt kunne fastholde øjebliksbilleder. En del rejsemotiver er ligeledes litograferet med en let stregvirkning.

Først sent kom Willumsen i gang med træsnittet, som han ofte anvendte til portrætter. Måske svarede denne teknik til den opfattelse, han efterhånden i sin noget isolerede tilværelse havde dannet sig af andre mennesker. Figurerne er bygget op af de små skarpe strøg, som er karakteristisk for træets hårdhed.

Særlig med raderingerne arbejdede Willumsen med mange ændringer indenfor det enkelte blad. Med prøvetryk og mange forskellige tilstande blev han ved indtil et tilfredsstillende resultat var opnået. Ved at arbejde omhyggeligt med den tekniske side af sagen opnåede han forbløffende resultater, der sjældent var tilfældige.

Willumsen som billedhugger
Det største arbejde, Willumsen udførte som billedhugger, var *Det store Relief,* som han påbegyndte i 1893 og afsluttede i 1928. I lange perioder optog det hans tid og han forestillede sig et værk, som han kunne vise frem på udstillinger i Europa. Det var hans hensigt at udtrykke noget almentgyldigt om livet og tilværelsen. Han kæmpede med at materialisere sine tanker, men desværre fik han ikke udført relieffet i 1890'erne, hvor han brændte for det. Først senere blev det skabt i marmor i en grovere udgave.

De fleste andre billedhuggerarbejder, Willumsen udførte, var bestillinger. Han lavede flere gravmonumenter af vidt forskellig karakter. Til sine egne forældre to kolossale hoveder (Vestre Kirkegård), som han havde brugt det i *Det store Relief,* for Agnete Pontoppidan (Holmens Kirkegård) en kvinde der ligger på jorden, og for lægen og fysiologen Christian Bohr (Assistens Kirkegård) en spændt skulpturel form med en ugle anbragt asymmetrisk. I udkastet til en dobbeltsarkofag for Christian IX og dronning Louise i Roskilde Domkirke arbejdede han i overensstemmelse med Wiedewelts eksisterende interiør.

Ved *Hørup-monumentet* og *Ravnene* til Friluftsteatret skabte han skulpturer, som var virkningsfulde fra alle sider, og som var skabt til formålet og til omgivelserne.

Willumsens fotografi af hans atelier med En fysiolog og Elisabeth Dons som Amneris i Aïda. ca. 1921.

I flere portrættet søgte Willumsen at skabe noget specielt, men uden synderligt held. Marmorværker fik han hugget af professionelle; kun *En fysiolog* og portrættet af Elisabeth Dons har han selv hugget.

Willumsen som keramiker
I de knap ti år Willumsen arbejdede med keramikken, nåede han at skabe flere monumentalværker og fungere som kunstnerisk leder for porcelænsfabrikken Bing & Grøndahl. I 1891 da hans første barn blev født, udførte han den farverige *Familievasen* (Kunstindustrimuseet). Et ejendommeligt værk fuld af følelser og svært tolkelige symboler. I de følgende år

eksperimenterede han med glasurforsøg, som blev anvendt på vaser og kolossalhovederne til *Det store Relief.* I mindre format udførte han i forskellige farver *Buksepigen,* som var tænkt anvendt i den side af relieffet, som voldte ham flest problemer. Både i Paris og København havde han bygget sine egne ovne, hvor han brændte hovedparten af sine keramiske værker. I to notesbøger havde han omhyggeligt afskrevet glasuropskrifter og føjet til, hvorledes brændingen var forløbet. I de ganske få år han var ansat på Bing & Grøndahl, fungerede han som vejleder for andre kunstnere, og da den

Buksepigen. 1897. Fajance, glaseret med hvid tinglasur, h. 52,3 cm. Bet. J. F. Willumsen 1897. Acc 663.

eftertragtede førstepris var opnået på Verdensudstillingen i Paris i 1900, forlod han fabrikken. Han brød op og søgte til Amerika, hvor han håbede på at skabe sig en karriere som kunstner.

Hans produktion som keramiker kan deles op i to tidsmæssigt adskilte perioder. I de første år af 1890'erne forsøgte han i Paris at skabe fri keramik med et symbolsk indhold. Han eksperimenterede med menneskefremstillinger i specielle udformninger. Rent teknisk havde han dog nogle vanskeligheder, som ødelagde flere værker. Først i 1896, da han i København havde fået en stor ovn, kunne han mestre flere af de tekniske problemer. Han koncentrerede sig nu mest om glasurforsøg og vaser, askeurner og færdiggørelse af *Det store Relief*.

Willumsen som arkitekt

Med en fortid som husbygningseksaminand fra Teknisk Skole var Willumsen også i stand til at arbejde som arkitekt. Til sig selv byggede han to villaer, og til Den frie Udstilling udførte han en udstillingsbygning.

Da han var vendt hjem fra Paris byggede han i 1895 en villa på Hellerupvej med atelier og keramiske ovne. Villaen var udformet som et ordinært hus med saddeltag og i træarbejdet havde Willumsen sat sit præg med dyr og figurer. Huset er i dag ændret til ukendelighed af Falcks Redningskorps.

Den frie Udstillings bygning ved Aborreparken, opført 1898. Fotografi 1906 eller tidligere.

I 1898 byggede Willumsen i Aborreparken en træbygning som udstillingshus for Den frie Udstilling. Som et tempel med en Pegasus i gavlen var huset skabt i hvidmalet træ med hvide tagfliser oplivet med et mønster af blå fliser. På facaden havde han oprindeligt tænkt sig en dekoration med grønne keramikblade. Han udvidede senere bygningen og i 1913 blev den flyttet til sin nuværende beliggenhed ved Østerport Station.

I 1906–07 byggede Willumsen sin anden villa i Hellerup. Som en monumental skulptur er den opbygget med særprægede løsninger af døre og vinduer. Med et grønt tegltag og en rosa facade blev det et farvestrålende kunstværk, som fortalte, at her lå en kunstnervilla.

Willumsen som fotograf

Da Willumsen ved sit besøg på Verdensudstillingen i Chicago i 1893 havde købt et fotografiapparat, be-gyndte han at bruge det med det samme. Han fotograferede skyskraberne, og senere tog han billeder på sine mange rejser. Særlig bjergene har fascineret ham, og han har søgt at fastholde forskellige stemninger med sol og skyer og lys og skygge.

I mange af fotografierne arbejdede han med de samme problemer som i malerierne. I Paris og København har han eksempelvis lavet mange optagelser af mennesker i bevægelse. Det var særlig i 1890'erne, hvor bevægelsesmotivet også var fremherskende i malerierne og grafikken.

Han har udført fotografier, der er

Willumsens fotografi af Juliette. 1893.

benyttet som forlæg for malerierne, og fotografier som har betydning og værdi i sig selv. Han har ofte fotograferet sine nærmeste og lavet opstillinger, hvor han nøje tilrettelagde motivet. I de mange fotograferede selvportrætter har han gang på gang iscenesat sig selv og lagt stor vægt på, hvorledes han fremtrådte.

I modsætning til sine værker inden for de øvrige genrer lod Willumsen dog aldrig fotografierne udstille.

Indsatsen

»Jeg kunde ikke andet end skænke ham min udelte Beundring, hvad jeg ogsaa udtalte til ham. Elske hans Kunst er noget andet, og noget for sig. Men beundre ham maa man, hvilken Energi! hvilken Indsats! – aldrig slaa sig til Ro, – han har Tyrkertro paa sig selv, lever af sig selv, er sig selv nok! – han gør Fodrejsen gennem Livet«. Således blev Willumsen på sin 60 års fødselsdag karakteriseret af maleren Laurits Tuxen, der havde et godt blik for kollegaens stadige opbrud. Når Willumsen havde fået hold på et problem og fundet en tilfredsstillende løsning, fortsatte han ikke i dette spor. Han søgte straks nye udfordringer, som kunne løses på nye måder. Han stillede nye opgaver op til sig selv, og definerede selv sine emner og løsninger af disse. Havde han en bestilling, søgte han udfordringen i formen. Og hver gang blev formen udarbejdet i overensstemmelse med indholdet. Eksempelvis er maleriet af *Badende børn* ma-

let på et kæmpestort lærred med en lysintensitet, som er i overensstemmelse med udstrakte lysende hvide strande. I portrættet af Vilhelm Wanscher har rammen fået en facon, som kun kan passe til Wanschers fysiognomi og ideer om formen, og i monumentet over Viggo Hørup er soklen skarp og personen udfordrende som Hørups ord.

Han søgte en udtryksmåde til den historie, han ville fortælle. Fælles var hans brændende trang til at vise andre mennesker, at kraft og styrke er livets sande værdier.

Han søgte efter erkendelse af sandhederne i tilværelsen og efter en form, som kunne anskueliggøre hans hårdt indvundne erkendelse. Mange af de ideer, han søger at få materialiseret i halvfemserne, arbejder han videre med senere. Han så det som en livsopgave at give ideerne en synlig form. Han var altid søgende urolig, utilfreds og koncentreret om sit arbejde på at forbedre og fuldkommengøre sin kunst.

Willumsens arbejdsmetode

Willumsen arbejdede længe og omhyggeligt med både indholdet og formen, før han kunne afslutte sine kunstværker. Han formulerede sine ideer og visioner, og samtidig gik han i gang med den praktiske udformning. Da han begyndte arbejdet med *Det store Relief* i 1893, nedskrev han løbende sine tanker og i hans notesbog kan man følge, hvorledes han når frem til en afklaring og en

materialisering af sine forestillinger. Ofte var der en vekselvirkning mellem ideerne og udformningen.

I det praktiske arbejde med kunstværkerne gik han altid grundigt til værks. Han udførte tit en række skitser, fotograferede motivet, modellerede figurer, som han tegnede efter, arrangerede lyssætningen og udførte forskellige variationer af temaet, før han forsøgte sig med det endelige kunstværk. Selv forklarede han sin arbejdsmetode på følgende måde:

»Efter at alle Forarbejder er gjort til et Billede, som Kompositions Skitser, Studier m. m., og jeg tror at kende til Punkt og Prikke alt, hvad der er nødvendigt for at kunne gen-

Farveprøve. 1905. O.L. 41×33,3 cm. Bet. - 6 Sept - 1905 - Acc 143.

nemføre Billedet, maler jeg et For-
arbejde til det, som oftest i fuld Stør-
relse, helt ud af Hovedet.

Det er dette Forarbejde, jeg kalder
»Generalprøven«. Derved vil det vise
sig, om jeg formaar at male selve Bil-
ledet med den Viden, jeg har faaet
ind ved Hjælp af mine Studier, eller
om der skal flere til. Thi jeg holder
paa, at en Maler ikke behersker sit
Emne, naar han ikke kan det uden-
ad. Man kan nemlig ikke i samme
Øjeblik være den spørgende Elev og
den vidende Mester. Jeg tror, at jeg
er den eneste, der bruger denne
Fremgangsmaade«.

Willumsen arbejdede således ud-
førligt med alle forarbejderne, og
adskillige gange vendte han desuden
flere år senere tilbage til et motiv for
at behandle det på en ny måde. Han
skelnede bevidst mellem, hvad der
var studier og prøver. Med studier
forestillede Willumsen sig det under-
søgende, hvor han fandt nogle
grundlæggende regler, mens han
med prøver tænkte på det kreative,
hvor han arrangerede og skabte. Én
gang kaldte Willumsen et studie til-
bage, som allerede var solgt. Han
syntes ikke, det var færdigt og ikke
godt nok til at rejse alene ud i ver-
den.

På det rent tekniske plan ekspe-
rimenterede han ligeledes utrætteligt.
Han udførte et væld af farveprøver,
for at finde de rigtige materialer og
nuancer af kombinationer til maleri-
erne. I forbindelse med raderingerne
anstillede han forsøg med syrebade

og forskellige indsværtninger, indtil
han opnåede det ønskede resultat.
Da han selv skulle brænde keramik,
studerede han omhyggeligt ovnbyg-
geri. Hans eksperimenterende natur
førte ham ind på mange forskellige
teknikker.

Undertiden har hans tekniske eks-
perimenter medført, at han brugte
uprøvede materialer, som ikke altid
har vist sig holdbare. Særlig hans
malerier er uhyre skrøbelige. Men
hans mange notater og farveprøver
har været en væsentlig støtte for kon-
servatorerne, før de startede en be-
handling.

Willumsens arbejdsmetode var
grundig, reflekterende og undertiden
eksperimenterende. Altid satte han
sig et mål og aldrig så snart havde
han nået resultatet, før han satte sig
et nyt for at udvide sin egen hori-
sont. Intet kunstnerisk felt var ham
fremmed.

Willumsens udklipsmapper

Som et led i sin arbejdssystematik
indsamlede Willumsen et omfattende
billedmateriale. Allerede tidligt var
han interesseret i alle former for bil-
leder, og han brugte af sine sparsom-
me midler til at købe fotografier på
sine rejser. I slutningen af 1890'erne
købte han i København en række
fotografier af Thorvaldsens skulp-
turer.

Da han omkring århundredskiftet
var i Amerika, begyndte han, fasci-
neret af amerikanernes store billed-
forbrug, systematisk at indsamle bil-

Willumsens udklipsmappe Mænd.
De to øverste billeder til venstre er
Willumsens egne fotografier fra
Langelinie, 1899.

ledmateriale fra bl. a. blade og avi-
ser. Til sin ven maleren Johan Rohde
skriver han »Jeg har samlet mig en
stor Billedbog af Udklip af Aviser og
Tidsskrifter (kun Fotografier), dem
har jeg megen Glæde og Nytte af.
Jeg faar derved et Materiale til sam-
menlignende Menneskeskildring som
jeg ikke før har kunnet overkomme
og forskaffe mig, og bearbejde i min
Hjærne. Jeg glæder mig til at vise

53

Dem den. De rejser til Syden og samler Fotografier efter Kunst. Jeg rejser til Amerika og samler Fotografier efter Mennesker og deres Liv, begge Dele er nødvendigt.«

Et par år senere bestilte han 14 mapper hos bogbinderen til at opbevare udklipssamlingen i. Han havde ordnet billederne systematisk efter emner som Arkitektur, Tegning, Kunsthåndværk, Maleri, Skulptur, Land og Vand, Mennesker, Menneskerace, Børn, Kvinder, Mænd og Dyr.

Ind imellem udklippene anbragte han sine egne fotografier, hvor de passede ind i sammenhængen. Opslagene var omhyggeligt tilrettelagt med indbyrdes korrespondance mellem de enkelte billeder. Han havde således en del af sin visuelle hukommelse stående i 14 mapper på sin reol.

Lyset og farven

Da Willumsen i 1889 var på sin første rejse til Syden, måtte han knibe øjnene sammen og skære grimasser med ansigtet. Han skrev hjem til sin forlovede Juliette fra Granada og fortalte om det direkte solskin og de stærke farver. Han følte, han måtte sunde sig en tid, før han kunne finde ud af, hvad han stod overfor. Der var reflekser både fra jorden, som blev solbelyst, og fra den blå luft, så det tilsammen dannede et helt virvar af kolde og varme farver.

Willumsen følte selv, at lyset var så betydningsfuldt for farverne i

Hestebrønden i Cordoba. 1915. O.L. 104 × 83 cm. Bet. - J · F · Willumsen -/ · Nov · 1915 · Rammen rekonstrueret. Gave fra Kronebanken, Ny Carlsbergfondet og Statens Museumsnævn. Acc 1617.

hans maleri. Han havde nemmere ved at se de rene stærke farver i Syden og fra 1916 bosatte han sig permanent ved Middelhavet, fordi han ikke kunne male i det mørke Danmark. Der var så få dage med godt lys, og dem havde han ikke tålmodighed til at vente på. I perioden efter 1910, hvor han ofte rejste i Middelhavslandene, fik farven i hans malerier en ekstra styrke og intensitet. Til studierne og skitserne benyttede han pastelkridt, fordi han her fik den stærkeste farvevirkning. De billeder, der er malet i Syden, burde i

dag opleves i de samme lysomgivelser. I mørket i Danmark taber de noget af deres lysfylde og styrke.

Willumsen søgte ofte til bjergene, hovedsagelig Alperne, hvor han også kunne arbejde med lysfænomenerne. Han har malet stimer af lys ned over bjergdale, regnbuens bro over bræerne og glødende solopgange over bjergkamme. I en skitsebog har han noteret, hvorledes farverne virker i forskelligt lys, og hvordan det bedst udtrykkes i maleriet.

Som arkitekt arbejdede han flere gange i sine interiører med effektfulde, stærke farvekombinationer. Da han i 1894 fra Paris planlagde en lejlighed i København, skulle den have en stue med kirsebær-vinrøde vægge og blegrøde døre, mens spisestuen skulle være malakitgrøn. I Den frie Udstillings bygning fra 1898 forestillede han sig farver både ud- og indvendigt. Fra den zinnoberrøde forhal gik man ind i sale med vægfarver, der var varmt gul, kold citrongul og grøn, mens gulvene overalt var søgrønne.

Naturen

Willumsens stærke naturfølelse er et væsentligt fundament for mange af hans malerier. I 1891, da han for første gang opholdt sig i Alperne, blev han betaget af bjergene og malede flere billeder herfra. Efter århundredskiftet vendte han sig med særlig styrke og engagement til naturen. Hans ophold i USA forløste dette dybe engagement. Kort efter vandrede han alene i Alperne i efteråret 1901, hvor han fotograferede og udførte en række akvareller med iagttagelse af skyerne og lyset før og efter regnvejr.

I de følgende år udførte han en række store malerier med naturen og følelserne omkring naturen som tema. I *Bjerge under Sydens sol* (Thielska Galleriet) viser han lysets styrke i bjergene. I en række store kompositioner med mennesker og natur, belyser han forholdet mellem elementerne og det enkelte individ.

I serien *Ud i naturen. Mor og datter i tre alderstrin* (Charlottenlund, Skåne) tolker han emnet meget håndgribeligt som et lærestykke i naturen. I *En bjergbestigerske* (Hagemanns Kollegium), *Efter stormen* (Nasjonalgalleriet, Oslo) og *Sol og ungdom. Børn på Stranden* (Göteborgs Konstmuseum) gennemspiller han temaet og skaber i de monumentale værker en pluralistisk dialog med naturen. Vekselvirkningen mellem naturen og mennesket er malet ind i begges fysiognomi. Det er en hyldest til naturen med de muligheder på godt og ondt, som man kan hente her. Mennesket kan få kraft fra naturen, blive knust af elementerne eller føle sig som en helt jævnbyrdig partner.

Hans rejser i det næste tiår fik ham til at arbejde mere med lyset og farven, og igen i 1930'erne vendte han for alvor tilbage med en række dramatiske og skæbnesvangre bjergbilleder. Han var både skræmt og

tiltrukket af bjergene, der med en øde storhed, overrumplende styrke og ufremkommelighed reflekterede hans eget sinds uro og dybder.

Rammer

Willumsen gjorde altid meget ud af rammerne omkring malerierne. Undertiden maler han motivet helt ud på rammen og ligeså ofte maler han rammen i en farve, som var nøje afstemt efter billedet. Enten forstærkede han farven eller brugte en kontrastfarve. I *Jotunheim* udviklede rammen sig til særlige kunstværker. Han overlod intet til tilfældigheder og gennem rammens udskæring og farve betonede han også den dekorative kunsts betydning.

I et landskab med en lindeallé fra 1888 malede han rammen rødbrun for at fremhæve det gulgrønne i lindeløvet. Han ville give indtryk af

Ægte kastanjer. 1891. O.L. 96 × 95,5 cm. Bet. Willumsen 1891. Acc 517.

efterårets farver, og han ønskede at give folk den samme skønhedsværdi, som han selv havde haft, da han kom og så igennem alleen.

Omkring malerierne fra 1890 kom han et fladt hvidmalet bræt, på samme måde som Paul Gauguin brugte det. Det var den billigste løsning. Denne type ramme anvender han senere til vintermalerierne af de norske tømmerhuggere fra 1906. Den fungerer nu som en ren og kølig ramme omkring snebillederne. Havstudierne til *Badende børn* har også denne type friske markering.

Da Willumsen i 1891 malede kastanjetræerne på skrænten ved Lac Leman var han optaget af det blågrønne vand og ornamentet i de fyldige træer. Den hvidmalede flade ramme er udskåret, så den griber ind i selve motivet. De grønmalede runde huller i landskabet forneden, kan måske hentyde til selve kastanjerne, der er faldet på jorden. I et brev til svigerfaderen beskriver han landskabet og tænker samtidig på kastanjeristerne i Paris, der om efteråret og vinteren står i gadedørene og sælger kastanjer.

Til den første udgave af *En bjergbestigerske* skar Edith rammen i mahogni efter Willumsens tegning. Øverst havde han sat en ørn med en gærdesmutte over, som han kendte det fra La Fontaines fabel om Fuglekongen.

Mange af akvarellerne fra rejsen i Schweiz i 1901 indrammede han helt specielt med en mønstret guldkant klistret på kartonen indenfor selve rammen. Det skulle spare ham for udgifter til de kostbare rammer, og samtidig fandt Willumsen det smukt, og det var noget nyt.

Økomoni

Da Willumsen i 1890 kunne bosætte sig i Paris, blev opholdet finansieret af svigerfaderen og Willumsens egen far. Svigerfaderen støttede ham fortsat, da han vendte tilbage til København og opførte villaen i Hellerup. Fra slutningen af 1890'erne, hvor han fik ansættelse hos Bing & Grøndahl, var han i stand til at klare sig selv økonomisk. I flere perioder havde han elever og allerede fra slutningen af 1880'erne begyndte han så småt at sælge kunstværker.

Rejsen til Amerika i 1893 fik han af svigerfaderen, men turen i 1900 havde han selv samlet penge sammen til. Det nye hus i Hellerup blev bygget for Ediths arv fra 1906, og fra denne tid gik det bedre og bedre. Han solgte mere og i 1918 havde han solgt så meget, at han følte, han havde penge nok til resten af livet. Det var hans veninde gennem mange år Alice Bloch, som i København havde skabt et marked for hans kunst og solgte til hele Skandinavien. Det var for disse indtægter, han erhvervede kunstværkerne til Gamle Samling.

Familie

Willumsen voksede op som eneste barn hos sine forældre i København.

Faderen var værtshusholder og senere herreekviperingshandler. Selv mente Willumsen, at billedhuggeren Jens Adolf Jerichau kunne være hans far. Til sin mor havde han altid et godt forhold, mens det til faderen var mere problematisk. Da moderen døde i 1899 udførte han et stort gravmonument over forældrene, som i 1901 blev opsat på Vestre Kirkegård. Faderen døde først i 1910.

Willumsen var gift to gange. Første gang i 1890 med billedhuggeren Juliette Meyer. Sammen fik de sønnerne Jan og Bode. Juliette udførte i 1890'erne flere keramiske arbejder i hvid fajance i tidens dekorative stil. Flere gange benyttede han Juliette som model, blandt andet i raderingerne *Dame, der spadserer* og *Frugtbarhed* samt *Familievasen* (Kunstindustrimuseet).

I 1903 blev han gift med billedhuggeren Edith Wessel. Sammen fik de døtrene Gersemi og Anse. Edith udførte figurer i træ, bronce, marmor og flerfarvet voks, og tit brugte hun børnene som modeller. Ofte optræder Edith i Willumsens værker. Hun er *En bjergbestigerske* (Hagemanns Kollegium og Statens Museum for Kunst), moderen i *Aftensuppen* og i *Maleren og hans familie* og kvinden i *Efter stormen*. De to piger optræder også i adskillige kunstværker.

Sine sene år tilbragte Willumsen sammen med den franske danserinde og malerinde Michelle Bourret, som genkendes i flere af hans malerier fra 1930'erne. Willumsens koner var alle

kunstnerinder, og de både støttede og hjalp ham med hans kunst.

Gamle Samling

»Mine Samlinger har betydet det, ... at jeg ved dem til Stadighed har været omgivet af Skønhed, det vil sige: fuldkommen Farve, Form og Linie. Jeg har paa Grund deraf levet i et højere Niveau af Kultur. Noget, jeg mener er nødvendigt for en Kunstner af min Natur og med mine Bestræbelser. Uden det havde mine Omgivelser været tørre og nøgterne. Det har givet mig Rigdom for min Sjæl. Jeg har ikke haft disse Kunstværker for at kopiere dem.«

Så stærkt følte Willumsen for sin Gamle Samling i 1939, hvor han havde erhvervet størsteparten af den. På sine mange rejser i Europa havde han hos kunsthandlere, antikvitetshandlere, marskandisere og private skaffet de forskelligartede genstande til samlingen. Han havde tidligt samlet kunstværker og fra omkring 1910 begyndte han i større omfang at udvide samlingen. En forbedret økonomi omkring første verdenskrig muliggjorde hans køb.

Gamle Samling, der består af omkring 2.000 numre, er utrolig varieret. Den består af malerier, tegninger, grafik, skulptur, keramik, kunsthåndværk og tekstiler. Størstedelen stammer fra Europa, men der er også værker fra den nære og fjerne Orient og fra Danmark.

Kunstværkerne blev altid bearbejdet systematisk med indsamling af

Tilskrevet El Greco: Hyrdernes tilbedelse. Ca. 1567-70. Olie på træ, 63,5 × 76 cm. Ikke bet. G.S. 345.

informationer om kunstneren, emnet og tilsvarende fremstillinger. Da Willumsen i Firenze i 1911 havde erhvervet et maleri af *Hyrdernes tilbedelse*, skrev han en hel bog med udgangspunkt i dette billede. Han ønskede at dokumentere, at El Greco havde malet billedet. Nyere forskning er enig i, at billedet er fra slutningen af 1560'erne og sandsynligvis af El Greco.

Willumsen havde selv ofte tilskrevet værkerne til betydelige kunstnere, som afgjort ikke havde udført dem. Da Gamle Samling i 1947 blev udstillet på Charlottenborg for at offentligheden kunne tage stilling til oprettelsen af et museum for samlingen, havde Willumsen påhæftet navne som Rembrandt, Leonardo da Vinci, Giorgione osv. En heftig diskussion kom til at dreje sig mere om tilskrivningerne og mindre om billedernes kvalitet. Udgangen blev, at

der ikke blev opført noget museum til samlingen.

Gamle Samling har givet haft stor betydning for Willumsen selv. Malerierne hang på væggene i hans hjem, og i flere tilfælde har han udført skitser efter kunstværkerne. Ofte kan man genkende nogle af de kunstneriske problemstillinger, som Willumsen selv arbejdede med.

Willumsens Museum

Den 15. april 1957 blev J. F. Willumsens Museum indviet i Frederikssund. Bygningen, der blev opført til at rumme Willumsens samling samt *Det store Relief,* var tegnet af arkitekt Tyge Hvass. Willumsen havde tidligere selv givet flere forslag til et museum for sine samlinger, men de var alle meget omfattende og ikke anvendelige.

J. F. Willumsen havde ikke nogen tilknytning til Frederikssund og hans kunst ikke nogen særlig forbindelse til området. Frederikssund Kommune tilbød at opføre en museumsbygning, og på dette grundlag skænkede Willumsen sin samling til byen. Han havde tidligere tilbudt den til den danske stat, Københavns Kommune og et par andre byer, men uden resultat.

Allerede i 1929 tilbød Willumsen sin samling af ældre udenlandsk kunst »Gamle Samling« til den danske stat. Willumsen forestillede sig, at den kunne udstilles i hans villa på Strandagervej i Hellerup, hvor han selv ikke boede længere. Undervis-

ningsministeriet afslog hans tilbud, og i de følgende år arbejdede han fortsat på at få skabt et museum til sin samling. I 1935 foreslog Aksel Jørgensen, at et museum blev baseret på Willumsens egne værker. På grund af krigen trak forhandlingerne ud og i 1947 blev Gamle Samling udstillet på Charlottenborg og Willumsens værker på Den frie Udstilling, og samme år udfærdigede Willumsen sit gavebrev.

Ti år senere åbnede Willumsens Museum i Frederikssund som et museum for Willumsens kunst. Den Gamle Samling var i museet, men hengemt i magasinerne. Willumsen selv nåede ikke at se museet, han boede i Sydfrankrig og var for gammel til at klare rejsen.

J. F. Willumsen havde skænket hele sin samling af sine egne værker, sin Gamle Samling og sit store arkiv med fotografier, bøger, breve, dagbøger, notater og optegnelser, samlet gennem et langt liv. Få museer har så omfattende dokumentarisk materiale til belysning af en kunstners værk. Siden museets åbning er der til stadighed erhvervet mange af Willumsens værker til udbygning og supplering af den eksisternde samling.

Det havde i mange år været en drøm for Willumsen at få et museum for sine værker. Allerede i 1918 var han meget opstemt ved tanken om at klædegrosserer I. Chr. T. Levinsen, der ejede mange af hans værker, overvejede at oprette et Willumsen-museum. At Willumsen gennem årene så omhyggeligt har indsamlet og gemt kunstværker og arkivalsk materiale kan tyde på, at han har haft en samling eller et museum i tankerne.

Enkeltmandsmuseum

Når Willumsen gennem årene udstillede, befandt han sig bedst ved at være alene. Bortset fra Den frie Udstilling, hvor han udstillede sammen med de andre medlemmer, foretrak han separatudstillinger. Han mente, at når enkelte af hans arbejder hang mellem mange andres, kunne det afvigende eller besynderlige, der kunne være i hans ting, skæmme ensemblet og gøre dem grelle i de besøgendes øjne. Princippet om at udstille alene kunne han dog ikke konsekvent opretholde gennem årene.

J. F. Willumsens kunstneriske produktion har en sådan bredde, at der var god mening i at opbygge et enkeltmandsmuseum med hans værker. Han har arbejdet som maler, tegner, grafiker, billedhugger, keramiker, fotograf og arkitekt, og derudover var han kunstsamler. Alle disse kunstneriske discipliner – undtagen arkitekturen – kan ses på museet. Man kan således følge udviklingen i hans malerier, tegninger osv. og samtidig kan man se sammenhænge og forskelle i hans kunstneriske udtryksformer. Da Willumsen foretager et skred i sin stil omkring hvert tiende år, kan man også her få indtryk af pluralismen i hans kunst. Hver gang han havde fået hold på et formmæssigt problem, forlod han de indvundne erfaringer for at søge nye udfordringer.

En gennemgang i museet giver således en helhed, hvor man lærer en kunstner at kende og får indblik i de mangeartede kunstneriske problemer, han kæmpede med. Der er ikke tale om mindestuer, og det er kunstneren – ikke personen Willumsen – som vises på museet.

Levnedsbeskrivelse

Hvor intet andet er nævnt, findes kunstværkerne på Willumsens Museum.

Kun de vigtigste begivenheder og kunstværker er anført, hvorfor fortegnelsen ikke kan betragtes som altdækkende.

1863
J. F. Willumsen er født den 7. september i København, som søn af værtshusholder, senere herreekviperingshandler Hans Willumsen og Ane Kirstine. Willumsen mente selv, at hans biologiske far var billedhuggeren Jens Adolf Jerichau.

1877
Elev på Thorsøes Handelsakademi til 1878.

1878
Et år på snedkerværksted.

1879
På Teknisk Skole.

1881
Dimitteret fra Teknisk Skole til Akademiet. Maler *Maleratelier. En dreng betragter et billede.*

1882
Afgang fra Teknisk Skole som husbygningseksaminand.

1883
Overgik til Akademiets Modelskole for at blive maler. Debut på Charlottenborgs Decemberudstilling med maleriet *Riddersalen i Chr. VII's Palæ på Amalienborg.* Første skulpturarbejde, buste af moderen.

1884
Debut på Charlottenborgs Forårsudstilling med *Neger, der spiller på fløjte for en dame.* (Victor Petersens Willumsen Samling). Om sommeren rejse i Jylland og ophold på Refnæs, maler *En Refnæsstue.*

1885
Ophørte i maj på Akademiet efter tre forgæves forsøg på at få afgang. Afsluttede sin uddannelse som maler på Kunstnernes Studieskole hos L. Tuxen og P. S. Krøyer. Maler *Bondebryllup i Refnæs kirke* og udfører sin første radering *Udkanten af en skov.*

1886
Aftjente i første halvdel af året sin værnepligt; begyndte at have elever for at tjene penge, udførte raderingen *Ægteskab* og maleriet *Slagterbutik ved Nikolaj Tårn* (Davids Samling, deponeret på Den Hirschsprungske Samling).

1887
Om sommeren på Mols, malede *Tre glaspustere på Hellerup Glasværk* (Ribe Kunstmuseum).

1888
Færdiggjorde *Kongesønnens bryllup,* delvis omarbejdet 1949. Deltog i konkurrencen på Københavns Universitet med maleri fra hovedstadens belejring 1658–59 (deponeret i Victor Petersens Willumsen Samling). Så den franske udstilling i København, rejste på første udenlandsrejse til Paris, interesserede sig for Rafaëlli og Puvis de Chavannes.

1889
Rejse til Spanien, ser El Greco, ophold i Paris, malede *Fransk vaskeri* (Göteborgs Konstmuseum), *Vinterdag på Montmartre* og *Landskab fra Malaga* (begge Statens Museum for Kunst), *Gade i Alora, gående nedad* (Davids Samling, deponeret i Den Hirschsprungske Samling), så Verdensudstillingen i Paris. Udførte i København raderingen *Dame, der spadserer. Kongesønnens bryllup* afvist på Charlottenborg.

1890
Raderer i København *En valgdag i Københavns 5. kreds* og *Aborreparken,* gift med billedhuggeren Juliette Meyer, flytter i marts til Paris, maler *Billede af livet på Paris' kajer,* og udstiller på Champs de Mars. Er om sommeren i Bretagne, hvor han maler tre malerier med bretagnekoner (det ene på Nordjyllands Kunstmuseum) og møder Paul Gauguin. Ma-

ler *Montagnes Russes* (Nasjonalgalleriet, Oslo), og stifter bekendtskab med forskellige franske kunstnere.

1891

Raderer *Frugtbarhed,* sønnen Jan Bjørn fødes, den keramiske komposition *Familievasen* (Kunstindustrimuseet) udføres, udstiller på Salon des Indépendants med ti af sine nyeste værker, medstifter af Den frie Udstilling i København, hvor han gennem årene udstillede mange af sine nyeste arbejder. Om sommeren i Alperne, maler de første bjergbilleder, udfører relieffet *Stenbrydere i en frodig bjergegn* (Statens Museum for Kunst).

1892

Om sommeren i Norge, udfører maleriet *Jotunheim.*

1893

Færdiggør *Jotunheim* med siderelieffer, det udstilles på Champs de Mars, udstiller desuden på Salon des Indépéndants. Om sommeren på Verdensudstillingen i Chicago, hvor han køber sit første fotografiapparat. Fotograferer i København og Paris, påbegynder *Det store Relief.* Udfører keramikbusten *Sappho.*

1894

Arbejder på *Det store Relief,* udfører flere keramiske arbejder. Flytter i november tilbage til København.

1895

Sønnen Bode fødes, opfører villa med atelier i Hellerup.

1896

Udfører plakaten til Den frie Udstilling, flere store keramiske hoveder til *Det store Relief,* samt en række vaser.

1897

Udfører i keramik *Buksepigen, Krigen* (Ribe Kunstmuseum), *Askeurne med valmuer* og vaser, første udkast til *Champagneplakaten* (Den Hirschsprungske Samling). Begynder i slutningen af året som kunstnerisk leder hos Bing & Grøndahl, møder Edith Wessel (senere hans anden kone).

1898

Tegner Den frie Udstillings bygning ved Aborreparken, i 1913 bliver den flyttet til Østerport station. Andet udkast til *Champagneplakaten* (privateje), *Askeurne med en sørgehøjtidelighed* i stentøj, gipsbuste af Edith Wessel. Flytter om efteråret fra hjemmet.

1899

Udfører en del fotografier, skulpturen *Samhørighed,* akvareludkast til *Ved Kilden med den dybe tone* (Kunstindustrimuseet), *Forældrenes Gravmonument* i chamotler, opsættes 1901 på Vestre Kirkegård.

1900

Udfører *Pottemagervasen* (Davids

Samling) på Ipsens Terrakottafabrik, vinder 1. præmie i en plakatkonkurrence om øl fra Tuborg, plakaten blev ikke udført. Rejser til New York, slog i Amerika ikke igennem som kunstner. Begynder i større omfang at samle billedmateriale fra blade og tidsskrifter til udklipsmapper. Udkast til vielsessalen på Københavns Rådhus.

1901

Fuldførte i Washington C. Rohl Smiths *Shermanmonument,* udkast til plakat og børnebogsillustrationer. Om efteråret til Schweiz, udfører en række fotografier og akvareller.

1902

Udfører *Pegasusplakat* til Den frie Udstilling. Rejser med Edith Wessel til Pyrenæerne, Italien og Schweiz. Udfører skitser til *En bjergbestigerske* og *Badende børn,* og maleriet *Sol over Sydens bjerge* (Thielska Galleriet, Stockholm).

1903

Gift med billedhugger Edith Wessel, bosætter sig i Paris. *Plakat for Heymann-Blochs toiletsæbe,* studier til *Moder og datter i tre alderstrin,* tre vægmalerier til Charlottenlund i Skåne, færdig 1904. Underviser en kreds af unge kunstnere.

1904

I Amalfi for at arbejde på *Badende børn,* i Bretagne for at arbejde med dette og *Efter stormen.* Færdigmaler

En bjergbestigerske (Hagemanns Kollegium).

1905
Maler *Efter stormen* (Nasjonalgalleriet, Oslo), tegner billedhuggersalen på Den frie Udstillings bygning, flytter tilbage til København.

1906
Maler i Norge tømmerhuggere, vinder 1. præmie i konkurrence om et monument for Viggo Hørup, datteren Ingemor Gersemi født, begynder opførelse af atelier-villa på Strandagervej.

1908
1. præmie i konkurrence om *Chr. IX og Dr. Louises dobbeltsarkofag* i Roskilde Domkirke, Willumsen udførte ikke monumentet. *Hørup-monumentet* afsløres 22. november.

1909
Datteren Anne-Mathilde, kaldet Anse fødes, *Mindetavle over Pietro Krohn,* tidligere direktør på Kunstindustrimuseet, arbejder om sommeren på Skagen med *Badende børn,* fuldfører generalprøven i København.

1910
Begynder at udføre litografier af blandt andet familien, bygger *Friluftsteatret* med de to ravne i Dyrehaven, udfører plakat til sin atelierudstilling, maler *Sol og ungdom.* *Børn på stranden* (Göteborgs Konst-museum), *Gravmonument over Agnete Pontoppidan* (Holmens Kirkegård). Rejser til Italien og Spanien.

1911
Maler i Spanien en række lysmættede billeder, bl. a. *Lys og mørk kvinde på et tag.* Sevilla (privateje) og *Promenaden i Sevilla på en januar eftermiddag* (Rasmus Meyers Samlinger, Bergen). Udfører *Christian Bohrs gravmæle* (Assistens Kirkegård), skitseforslag til Tronsalen på Christiansborg, om efteråret til Frankrig, Schweiz og Italien. I Firenze interesserede han sig for antikvitetshandlernes varer, begynder at tilrettelægge bogen om El Greco.

1912
I Spanien, maler *Domkirken i Valencia* (privateje), *Folk på tagene i Valencia.* I København *Maleren og hans familie* (Nationalmuseum, Stockholm, deponeret på Willumsens Museum), en ny udgave af *En bjergbestigerske* (Statens Museum for Kunst).

1913
Maler i Frankrig *Stenbrud nr. 2. Fantasi over et menneskeliv* (Malmø Museum), i København *I den bløde, den farverige sommernat* og *En fysiker* (Hagemanns Kollegium), atelierudstilling i anledning af 50 års fødselsdag.

1914
Maler i Tunis flere lysfyldte araber-billeder, i Firenze *Familien Willumsen på S. S. Annunziatapladsen i Firenze* (privateje). Rejste en del, bl. a. til Kreta for at gøre El Greco studier.

1915
Maler om sommeren i København *Sophus Claussen læser sit digt Imperia for Helge Rode og Willumsen* (Aarhus Kunstmuseum), maler om efteråret flere billeder i Toledo og Cordoba, arbejder i disse år med farvestærke pasteller til sine skitser, udfører litografiet *Det nationale spøgelse/Krigsinvalider.*

1916
Bosætter sig permanent i Sydfrankrig, udfører *Naturskræk. Efter stormen nr. 2* og raderinger med karakterstudier af folkeliv og folketyper i Sydfrankrig samt *Miss Edith Cavells martyrium.*

1917
Udkast til en brønd i Svendborg, ikke udført, raderingen *Invasionen,* begynder at sælge mange værker i København.

1918
Maler *Aftensuppen,* raderingerne *Den belgiske fange, Kludekonen og hendes tjenestepige,* til Danmark i slutningen af året. Medlem af Akademiets Plenarforsamling.

1919
Maler i København *Portræt af borgmester Marstrand og rådmand Phi-*

lipsen (Københavns Rådhus), begynder i London at købe tegninger til sin Gamle Samling.

1920
I Savoyen, maler flere bjergbilleder fra Chamonix, i Venedig, afslår tilbud om professorat ved Akademiet i København.

1921
Skulptur af sangerinden *Elisabeth Dons som Amneris,* den første monografi om J. F. Willumsen af den finske kunsthistoriker Hjalmar Öhman med Willumsens kommentarer indføjet i teksten.

1923
Maler *Kunsthistorikeren Vilhelm Wanscher teoretiserer* og *Maleren modtager musikeren ved indgangen til Parnasset,* stor udstilling på Den frie Udstilling i anledning af Willumsens 60-år. Den danske stat bestiller *Det store Relief* udført i marmor.

1924–26
Arbejder på *Det store Relief,* bl. a. i Carrara.

1927
Arbejder i Carrara, udgiver bogen om El Greco på fransk, forslag til oprettelse af et Propagandabureau for dansk musik, bildende kunst og skulptur.

1928
Det store Relief opsat, maler *Krigs-invalider* (Nordjyllands Kunstmuseum), samlivet med Edith ophører, møder den franske malerinde og danserinde Michelle Bourret.

1929
Æresmedlem af Grafisk Kunstnersamfund, maler i Venedig.

1930
Indledte samliv med Michelle Bourret, forholdet varede til hans død, maler i Venedig.

1931
Maler flere billeder i Rom og Venedig.

1933
Maler *Skuespiller Johannes Poulsen i sin Henrik VIII skikkelse* (Det kongelige Teater) og *Selvportræt i malerbluse.*

1934
Udstilling på Den frie Udstilling i anledning af 70-årsdagen året før, maler i Venedig og *Michelle Bourret danser Harlekin.*

1935
Maler *Michelle Bourret danser Valse Boston* og *Første billede af serien Tizian døende.*

1937
Maler *Stenstatuen, Ikke se, ikke høre, ikke ville. Andet billede af serien Tizian døende.*

1938
Maler *Himmelgåden. Tredie billede af serien Tizian døende, Tåger og sneklatter på bjerg* og *Den sidste lysning på Mont Blanc.*

1939
Besøg i Danmark, maler i Dyrehaven.

1943
Maler *Fødselsdagskagen* og *Selvportræt på 80-årsdagen.*

1946
Maler *Dobbeltselvportræt.*

1947
Maler *Boldspillere på gaden i Cannes* (Nordjyllands Kunstmuseum), udstilling med egne værker på Den frie Udstilling og Gamle Samling på Charlottenborg med henblik på oprettelse af et Willumsen-museum i Danmark. Får Thorvaldsens medalje og Prins Eugens medalje.

1949
Statue af biskop *Nordal Brun* foran Frederikskirken, København, model 1941–47.

1951
Udkast til *Kristusfigur* i kirke i Normandiet. Jørgen Roos' film om Willumsen.

1953
J. F. Willumsen. Mine erindringer fortalt til Ernst Mentze udkommer.

1957
Willumsens Museum i Frederikssund
indvies den 15. april. Willumsen
havde skænket egne værker, breve
og notater samt Gamle Samling.
Han så ikke selv museet.

1958
Willumsen dør den 4. april, begravet
i museets park den 17. april. Ediths
urne nedsat ved siden af den 30. ja-
nuar 1964.

Boliger og atelier

Willumsens første rigtige atelier i Paris, Rue Barthélemy, efteråret 1891–efteråret 1893. Fotografi J. F. Willumsen 1893. Fotografiet er sat sammen på midten af to optagelser. Til venstre over værktøjsbordet står Willumsens keramiske arbejder »Kærlighed« fra 1893, som i dag kun kendes fra fotografier. De forestiller en mand og en kvinde med håret snoet sammen i cirkler. Geden fra 1891 er et ikke anvendt udkast til relieffet Stenbrydere i en frodig bjergegn (Statens Museum for Kunst). Til højre i atelieret er opmuret en ovn til at brænde keramikken i.

Willumsens andet atelier i Paris, Rue des Fourneaux, efteråret 1893–efteråret 1894. Fotografi J. F. Willumsen, december 1893. I december tog Willumsen et fotografi af atelieret med sønnen Jan, der var knap tre år gammel. På cavaletten står flere keramiske arbejder, hvoraf kun vasen Kamp imellem en mand og en slange (Kunstindustri-museet) kendes i dag. Keramikovnen var taget ned fra det gamle atelier og muret op igen. På ovnen var anbragt Willumsens keramiske øje fra 1891 som en form for besværgelse. På skrivepulten er slået op i notesbogen ved studierne til Jotunheim, som står i baggrunden. Ved siden af det danske flag hænger det amerikanske til minde om Willumsens besøg i Chicago tidligere på året. På kemikalieskabet sidder det Nyfødte drengebarn i keramik fra Familievasen (Kunstindustrimuseet) og ovenover hænger Montagnes Russes (Nasjonalgalleriet, Oslo) i sin originale ramme.

1885-1889
Bolig og arbejdsrum
København, Sølvgade hos forældrene

1888
Atelier
Tuxens atelier

1890-1891
Bolig og arbejdsrum
Paris, 32 Rue du Puits de l'Ermite, navnet ændret til 16 Rue Pestalozzi

1891-1893
Bolig
Paris, 13 Rue Nicolas Charlet
Atelier
Rue Barthélemy

1893-1894
Bolig og atelier
Paris, 11 Rue des Fourneaux

1894-1895
Bolig
København, Valdemarsgade 26
Atelier
Holckenhus og Vester Voldgade

1895-1898
Bolig og atelier
København, Hellerupvej

1898-1900
Bolig og atelier
København, Børsgade 48

1900
Bolig og atelier
New York, Carnegie Hall, senere 8th Avenue

1901
Bolig og atelier
New York, nærheden af Central Station

1901
Bolig
Washington, Brightwood Avenue 3015
Atelier
Rohl Smiths atelier

1902
Bolig
København, Fiolstræde 42
Atelier
Den frie Udstilling

1903-1905
Bolig og atelier
Paris, 59 Avenue de Saxe

1905-1906
Bolig og atelier
København, Nyvej 17

Huset med atelier på Hellerupvej, som Willumsen selv var arkitekt for, opført 1895. Fotografi J. F. Willumsen ca. 1896.

1906-1907
Bolig
København, Lille Strandvej 2

1907-1928
Bolig og atelier
København, Strandagervej 28

1916-1917
Bolig og atelier
Villefranche sur Mer, Villa Biancheri

1917-1918
Bolig og atelier
Villefranche sur Mer, Villa Madeleine

1918-1942
Bolig og atelier
Nice, 3 Place Charles Felix

1942-1954
Bolig og atelier
Cannes, Villa le Lido

1954-1958
Bolig og atelier
Le Cannet, Villa les Chardons

Ateliervillaen på Strandagervej, som Willumsen også selv var arkitekt for, opført 1906-1908. Fotografi ca. 1920.

Gengivelser

Museets fremhængte værker, som ikke er gengivet tidligere i katalogbogen, er afbildet på de følgende sider. En ændret ophængning kan naturligvis medføre mindre uoverensstemmelser. Værkerne på magasinet er således ikke afbildet.

Målene er angivet med højden gange bredden. O.L. angiver olie på lærred. Parentes om årstallet angiver, at det ikke fremgår direkte af kunstværket. Inv nr refererer til Willumsens gave til museet, Acc nr er senere erhvervelser og G.S. nr er Willumsens »Gamle Samling«. Schultz nr. refererer til Sigurd Schultz: Willumsens grafik. København 1961.

Malerier

Kvindelig model. 1884. O.L. 73,5 × 52,5 cm. Bet. JFW 3/6/84 (monogram). Inv 324.

Mandlig modelfigur. 1884. Olie på papir, klæbet på lærred, 75 × 55,7. Bet. JFW / Januar/84. Inv 301.

Maleratelier. 1881. O.L. 32 × 28 cm. Bet. JF · Willumsen 1881. (monogram). Inv 310.

Selvportræt. 1885. O.L. 41 × 34 cm. Bet. 23 N. 1885 / J · F · Willumsen. Gave fra Ny Carlsbergfondet. Acc 8.

Modelstudie. Nøgen mand. 1885. O.L. 76 × 57,5 cm. Bet. Willumsen. 1885. Acc 644.

Sigyn og Loke. (1885). O.L. 59,5 × 80 cm. Ikke bet. Inv 323.

Hoved af en død soldat på Garnisons Sygehus. 1886. O.L. 25,3 × 41 cm. Bet. J. F. Willumsen / 16 Mai 1886. Inv 325.

En allé, efterår. 1888. O.L. 89,5 × 96 cm. Bet. J. F. Willumsen /-1888-. Rammen rekonstrueret. Inv 303.

Italienertøs gør løjer. 1893. O.L. 107,5 × 78,5 cm. Bet. J · F · W / 1893. Rammen ikke original. Acc 515.

Legen i naturen. Forarbejde til Mor og datter, tre alderstrin. ca. 1903. O.L. 93,5 × 144,5 cm. Ikke bet. Acc 1316.

Bølgeslag mod Stranden. 1909. O.L. 61,5 × 100 cm. Bet. J · F · W / 10 Juli / · 1909 · Gave fra Ny Carlsbergfondet. Acc 1613.

To liggende børn på stranden. Studie til Badende børn. (1909). O.L. 60,8 × 99,5 cm. Ikke bet. Inv 309.

Lille pige med sine dukker. 1911. O.L. 100,5 × 81,5 cm. Bet. J · F · W / Sept. 1911. Acc 9.

Løbende nøgen dreng. Studie til Badende børn. (1909). O.L. 100 × 60,6 cm. Ikke bet. Inv 307.

Løbende nøgen dreng. Studie til Badende børn. (1909). O.L. 101 × 61 cm. Ikke bet. Inv 308.

Portræt af Edith Willumsen, siddende med modellerpind. (1911). O.L. 100 × 82,5 cm. Ikke bet. Inv 328.

Portræt af Edith Willumsen. 1911. Olie og tempera på lærred. 49×36,5 cm. Bet. J · F · W · / 27 Aug. / · 1911· Inv 327.

Folk på tagene i Valencia. 1912. O.L. 101×83 cm. Bet. J · F · Willumsen / -1912-. Acc 640.

Arabere i Tunis. 1914. O.L. 82,5× 100,5 cm. Bet. J · F · Willumsen / · April 1914 · / · Tunis · Gave fra Ny Carlsbergfondet. Acc 1174.

Selvportræt med hat. 1911. O.L. 59,5×50 cm. Bet. J · F · W · / 9 Maj/1911. Inv 326.

I den bløde, den farverige sommernat. 1913. O.L. 140,5×153 cm. Bet. · J · F · W · / · 1913 · / · Kbhvn · Acc 1125.

Bjergside ved Villefrance. 1916. O.L. 103×84 cm. Bet. J.F.W / 1916. Inv 330.

Portræt af forfatteren Helge Rode. (1915). Studie til Sophus Claussen læser sit digt Imperia for Helge Rode og Willumsen. Pastel. 41,3 × 47,5 cm. Bet. J.F.W. Gave fra Ny Carlsbergfondet. Acc 648.

Portræt af borgmester Jacob Marstrand. 1919. Studie til Portræt af borgmester Marstrand og rådmand Philipsen. O.L. 61 × 52,2 cm. Bet. J · F · W · / 11 juli / 1919 · Inv 316.

Krigsinvalider. Første malede skitse. (1919). O.L. 82 × 65 cm. Ikke bet. Inv 237.

Portræt af digteren Sophus Claussen. 1915. Studie til Sophus Claussen læser sit digt Imperia for Helge Rode og Willumsen. O.L. 46 × 38 cm. Bet. J.F.W. /- 27 maj 1915 -. Inv 306.

Portræt af rådmand Gustav Philipsen. 1919. Studie til Portræt af borgmester Marstrand og rådmand Philipsen. O.L. 59,2 × 34,6 cm. Bet. J · F · W / 1 · Sept / · 1919 · Inv 314.

Mont Blanc i aftensol. 1920. O.L. 61,5 × 46,5 cm. Bet. J.F.W / 1920. Inv 17.

Bjergkæde i aftensol. 1926. O.L. 50×73 cm. Bet. J.F.W/·1926· Inv 166.

Loredan Paladset med Traghettoen. 1926. O.L. 81×66 cm. Bet. J · F · W · /·1926· Inv 33.

Krigsinvalider. Anden malede skitse. (1927). O.L. 46×38 cm. Ikke bet. Inv 203.

Canal Grande med en festlig oplyst gondol. Nat. 1929. O.L. 87×96 cm. Bet. J · F · W / -1929- Inv 30.

Redentorefesten i Venedig. 1929. O.L. 87×96 cm. Bet. J · F · W / -1929- Inv 31.

Markus Pladsen. Venedig. Nat. 1929. O.L. 86,5×96,5 cm. Bet. J · F.W / 1929. Inv 28.

Pladsen SS. Giovanni e Paolo, Vene-
dig. Nat. 1931. O.L. 73×92 cm. Bet.
J · F · W /-1931- Inv 38.

Moloen med S. Giorgio. Venedig.
1930. O.L. 92×73 cm. Bet. J.F.W / -
1930-. Inv 6.

San Trovaso Kanalen i Venedig. Må-
neskin. 1930. O.L. 92×73 cm. Bet.
J · F · W / 1930. Inv 7.

Det blå palads. Fantasi. 1931–35.
O.L. 73×92 cm. Bet. J-F-W /-1931–
35- Inv 39.

Musique sur la place le soir. 1931.
O.L. 73×92 cm. Bet. J · F · W /
-1931- Inv 36.

Palazzo Balbi ved Canal Grande. Ve-
nedig. Nat. 1930. O.L. 92×73 cm.
Bet. J.F.W./·1930· Inv 9.

*På Piazza Navona. 1931. O.L. 92×
73 cm. Bet. J · F · W / -1931- Inv 48.*

*Selvportræt. 1932. O.L. 92×73 cm.
Bet. J. F. Willumsen / 1932. Inv 53.*

*Det skæve Palads i Venedig. 1934.
O.L. 92×73 cm. Bet. J.F.W/-1934-
Inv 99.*

*Oppe på Monte Cavallo. 1931. O.L.
73×92 cm. Bet. J · F · W /-1931- Inv
47.*

*Araber, får og tigger. 1931. O.L. 73
×92 cm. Bet. J · F · W /-1931- Inv
44.*

*Uvejr over Venedig. Nat. 1934. O.L.
92×73 cm. Bet. J · F · W -/-1934-
Inv 96.*

Bjergsol i det fjerne med blålige luft-toner. 1936. O.L. 46×55 cm. Bet. J · F · W /-1936- Rammens maling ikke original. Inv 217.

Madame Michelle Bourret danser Harlekin. 1934. O.L. 190×141 cm. Bet. J-F-Willumsen/-1934- Inv 95.

Madame Michelle Bourret danser Valse Boston. 1935. O.L. 190×141 cm. Bet. J · F · Willumsen/-1935-Inv 113.

Bjerge med sne i middagssol. 1936. O.L. 46×55 cm. Bet. J.F.W/-1936- Rammens maling ikke original. Inv 212.

Palazzo Morosini ved Canal Grande. 1934. O.L. 92×73 cm. Bet. J.F.W /-1934- Inv 101.

Selvportræt. 1936. Studie til Him-melgården. O.L. 92×73 cm. Bet. J.F.W/marts/-1936- Inv 119.

Mont Blanc i skyer. 1936. O.L. 126 × 150,5 cm. Bet. J.F.W/-1936- Inv 114.

Naturens skjolder, bjergene med de tre farver. 1936. O.L. 126 × 150,5 cm. Bet. J.F.W/-1936- Inv 116.

Sort bjerg med sne og tåger. 1937. Studie til Tåger og sneklatter på bjerg. O.L. 46 × 55 cm. Bet. J.F.W/ 1937. Inv 210.

Mont Blanc i skyer. Formiddags belysning. 1936. O.L. 46 × 55 cm. Bet. J.F.W / -1936- Rammens maling ikke original. Inv 214.

Panteon i Rom. Måneskin. 1937. O.L. 78 × 92 cm. Bet. J.F.W. 1937. Inv 120.

Mont Blanc i gulligt skær. Sen aften. 1937. O.L. 46 × 55 cm. Bet. J.F.W / 1937. Inv 213.

*Mont Blanc. Sen aften med halvmå-
nen. 1937. O.L. 46×55 cm. Bet.
J.F.W /1937. Inv 130.*

*Sidste lysning på Mont Blanc. 1938.
O.L. 126×150 cm. Bet. · J.F.W./
-1938- Inv 122.*

*De blå spidser. 1937. O.L. 46×54,5
cm. Bet. · J.F.W./-1937- Inv 178.*

*Sorte bjerge med gletschere i uvejr.
1949. O.L. 126×73 cm. Bet. J.F.W-
/-1949- Inv 269.*

Tegninger

Skitse til Dame, der spadserer. (1889). Blyant og vandfarve. 29,2 × 24,5 cm. Bet. på bagsiden: Forestiller / Juliette Mejer. Acc 1328.

Skitse til Aborreparken. 1890. Blyant. 26,2 × 19,5 cm. Bet. på bagsiden: forestiller Juliette Mejer / Januar 1890 / J.F.W. Acc 1229.

Kærlighed. Udkast til keramik. (1893). Vandfarve. 55 × 36 cm. Ikke bet. Inv 341.

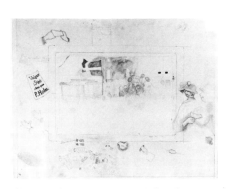

Skitse til En valgdag i Københavns 5. kreds. (1890). Blyant og vandfarve. 45,5 × 58 cm. Ikke bet. Acc 396.

Dreng springer på hovedet. 1902. Studie til Badende børn. Blyant og vandfarve. 41,5 × 48 cm. Bet. Raffael de vil / J.F.W / ·1902· Acc 1340.

Grafik

Udkanten af en skov. 1886. Radering. 19,5×13,5 cm. Bet. JF Willumsen 1886 II. Schultz 1.

To kvinder ved en væv. 1887. Radering. 16,7×12,3 cm. Bet. J. F. Willumsen / 1887./J. F. Willumsen 1895. Schultz 8.

Dame, der spadserer. 1889. Radering. 35,5×27,5 cm. Bet. J. F. Willumsen.1889./ Copenhague / Til Juliette / Nr 3 / J. F. Willumsen. Schultz 13.

Ægteskab. 1886. Radering. 20,5× 16 cm. Bet. J. F. Willumsen. 1886 (spejlvendt) /IIII. Schultz 6.

Th. Niss' dagligstue eller ved lampens lys. 1888. Radering, ca. 14,5× 22 cm. Bet. J. F. Willumsen 1888 / J ·F. Willumsen. Schultz 10.

Over tagene. Helsingør. 1889. Radering. 14,7×23 cm. Bet. Helsingør / JF Willumsen. 1889. Schultz 12.

Aborreparken. 1890. Radering. 48 ×
58 cm. Bet. Copenhague 1890 – J. F.
Willumsen. Schultz 15.

En valgdag i København 5. kreds.
1890. Radering, 26,8 × 38 cm. Bet.
J. F. Willumsen – Copenhague / 21 e
Janvier 1890 – J. F. Willumsen 1892.
Schultz 16.

Portræt af Edith. (1914). Litografi.
54 × ca. 43 cm. Bet. J. F. Willumsen.
Schultz 168.

Plakat for Den frie Udstilling. 1896.
Litografi. 122 × 85 cm. Bet. J. F.
Willumsen / 1896. Schultz 196.

Plakat for Den frie Udstilling. 1902.
Litografi. 124,6 × 85,6 cm. Bet.
· J.F.W · /-9 april 1902- (spejlvendt).
Schultz 197.

Vandbæreren i Taormina. 1914. Li-
tografi. 75,2 × ca. 57 cm. Bet. J · F · W
/ 1914 / J. F. Willumsen. Schultz
167.

Den belgiske fange. 1918. Radering. 42,9×55,8 cm. Bet. J. F. Willumsen 1918. Schultz 68.

Miss Edith Cavell's martyrium. 1916. Radering. 61,5×47 cm. Bet. Miss Edith Cavell / J · F · Willumsen · 1916 · Schultz 42.

De uartige piger og tiggeren ved dø- ren. 1918. Radering. 32,8×21,4 cm. Bet. J. F. Willumsen 1918. Schultz 66.

Den gamle gadesangerske. 1917. Ra- dering. 32,1×20,8 cm. Bet. J.F.W. 1917 / J. F. Willumsen. Schultz 58.

Den rare hundekone. 1918. Rade- ring. 32,6×21,5 cm. Bet. J. F. Wil- lumsen 1918. Schultz 63.

Skulptur

Kokotte siddende på jagt i Montagnes Russes. 1890. Bemalet træ. 100 × 60,5 cm. Bet. JF Willumsen / 1890. Rammen rekonstrueret. Acc 507.

Samhørighed. 1899. Skitse til Det store Relief. Gips. h. 92 cm. Bet. JFW / 1899. Inv 377.

Første projekt til Hørupstatuen. 1905. Bronce. h. 69,5 cm. Bet. V. Hørup 1884. J · F · W · 22/Aug/1905 Inv 367.

Buste af Edith Willumsen. 1898. Gips, malet rød og dekoreret. h. 71 cm. Bet. J.F.W. Juli 1898 – Ystad. Inv 425.

Dreng springer baglæns på hovedet i vandet. 1902–06. Studie til Badende børn. Gips. h. ca. 33 cm. Bet. J.F.W. 1902–6. Acc 123.

Model til Pietro Krohns mindetavle i Kunstindustrimuseet i København. 1909. Gips og voks. ca. 191 × 129 cm. Bet. 1909 · udført af J. F. Willumsen. Inv 375.

Havfrue med to delfiner. 1916. Udkast til et springvand. Bronce, h. 30,3 cm. Bet. JFW, / jan 1916. Inv 362.

En fysiolog. 1920–1930. Marmor, h. 130 cm. Bet. J.-F-WILLUMSEN 1920–1930 NICE. Inv 350.

Udkast til ravnene ved Friluftsteatret i Dyrehaven. 1910. Gips, h. 78 cm. Bet. JFW 7 april 1910. Inv 379.

En gris. 1915. Udkast til brønd. Bronce, h. ca. 28,5 cm. Bet. 1915 / Toledo / J · F · W. Inv 366.

Anse tuder. 1918. Marmor, h. 48 cm. Bet. J.F.W. /1918. Inv 353.

Englen over gravene. 1947. Gips, h. ca. 87,5 cm. Bet. J.F.W / 1947. Inv 376.

Keramik

Nyfødt drengebarn. (1891). Brændt ler, tyndt glaseret, h. 33,6 cm. Ikke bet. Deponeret af Horsens Kunstmuseum. Acc 650.

Blade. Udkast til dekoration på Den frie Udstillings bygning. (1896). Fajance med grøn glasur. Varierende størrelse fra 7×7 cm til 18×18 cm. Ikke bet. Inv 406–409.

Pyntegræskar. ca. 1896. Fajance, glaseret, h. 7,5 cm. Ikke bet. Acc 702.

Sappho. Hoved af en nygrækerinde. 1893. Brændt ler, h. 37 cm. Bet. 1893 / J. F. Willumsen. Deponeret af Aabenraa Museum. Gave fra Ny Carlsbergfondet. Acc 583.

Vase. 1896. Fajance dekoreret og glaseret, h. 75 cm. Bet. J · F · Willumsen · / · 1896 · Acc 1551.

Stenbider. 1896. Fajance med rød lustreglasur, h. 28 cm. Bet. J. F. Willumsen / 1896. Acc 514.

Vase. 1897. Stentøj med gyldenbrun glasur, h. 14,3 cm. Bet. 348/J.F.W/. 1897. Acc 666.

Vase. 1898. Stentøj med brun glasur, h. 28 cm. Bet. J.F.W./ · 1898 · Inv 421.

Vase. ca. 1898. Porcelæn med glasur, h. 40 cm. Udført af Edith Lautrup Wessel efter J. F. Willumsens udkast. Bet. EL (monogram), B&G. Inv 370.

Vase. 1898. Stentøj med rødbrun glasur, h. 19 cm. Bet. J.F.W. / · 342 · / · 1898 · Inv 422.

Vase. 1898. Stentøj med kobberglasur, h. 25 cm. Bet. J.F.W/360/·1898· Acc 4.

Udvalgt litteratur

Hjalmar Öhman: J. F. Willumsen. Med Kommentarer af J. F. Willumsen. København 1921.

Sigurd Schultz: J. F. Willumsen. Grafiske Arbejder. København 1943.

Mogens Kruse: J. F. Willumsen. Studietegninger. København 1946.

Sigurd Schultz: J. F. Willumsen: En Fortolkning af hans Personlighed og Idéerne i hans Livsværk. København 1948.

Sigurd Schultz: J. F. Willumsen. Weilbachs Kunstnerleksikon. Bind III, 1952, side 531–538.

J. F. Willumsen. Mine erindringer fortalt til Ernst Mentze. København 1953.

Ernst Mentze: J. F. Willumsen. København 1957.

Merete Bodelsen: Willumsen i halvfemsernes Paris. København 1957.

Gunnar Bråhammar: Willumsens store Relief. Tidsskrift för Konstvetenskap XXX–XXXII, 1957, side 148–193.

Poul Vad: Willumsen efter 1900. Signum, nr. 1, 1961, side 48–57.

Sigurd Schultz: Willumsens grafik. København 1961. Tillæg, København 1967.

Hans Bendix: Troskyldigt Forår. København 1967, side 168–199.

Knud Voss: Friluftsstudie og virkelighedsskildring 1850–1900. Dansk Kunsthistorie. Billedkunst og skulptur. København 1974. Politiken bind 4, side 253–281 og 404–411.

Roald Nasgaard: Willumsens Himmelgaaden. Enten Eller, Sophienholm 1980, side 100–110.

Gunnar Sørensen: Vitalismens år. Cras XXVI, 1981, side 26–42.

Leila Krogh: Willumsens Champagneplakat. Cras XXVII, 1981, side 106–120.

J. F. Willumsen og Den frie Udstillings første år 1891–1898. Willumsens Museum 1982. Udstillingskatalog.

Ulla Hjorth: J. F. Willumsen og Amerika. Cras XXXI, 1982, side 68–87.

Hans Bendix: Samvær og rejser. København 1982.

Roald Nasgaard: Wilderness and the Challenge of Gauguin: J. F. Willumsen. The Mystic North. Toronto 1984, side 15–28.

Leila Krogh: Willumsens portrætter. Kunst Samfund Kunst. En hilsen til Broby. Odense 1986 (under udgivelse).

Noter og henvisninger

Hvor intet andet nævnes findes de omtalte kunstværker og arkivalier i Willumsens Museum.

KB = Det kongelige Bibliotek. Juliette Willumsens arkiv og brevene til Alice Bloch og Johan Rohde er utilgængelige.

Öhman = Hjalmar Öhman: J. F. Willumsen. København 1921.

Mentze = J. F. Willumsen. Mine erindringer fortalt til Ernst Mentze. København 1953.

Bodelsen = Merete Bodelsen: Willumsen i halvfemsernes Paris. København 1957.

J. F. Willumsens hovedværker

Billede af livet på Paris' kajer Begynder at male: Juliette til mor, 15.5.1890. KB. Menneskemyldret: Juliette til far 4.4.1890 og til mor 13.10.1890. KB. Erindringer: Mentze side 60. Udklip: Udklipsmappe Arkitektur, H. P. Rohde har henledt opmærksomheden på dette fotografi.
Frugtbarhed Juliette besværet: Juliette til forældre 13.10. og 6.12. 1890. KB. Forklædet: Elin Judith Lassen: Forklæder forklæder. Samvirke april 1985, side 52–53. J. S. Møller: Moder og barn i dansk folkeoverlevering. Kbh. 1940, side 78. Avispolemik: Politiken 3., 13., 20., 27.4.1891.
Jotunheim Notesbog begyndt 6.12. 1892. Breve fra JFW til Juliette 12., 16., 22., 24., 26., 29.7. og 8. og 13.8.1892. KB. Maler om efteråret: Juliette til forældre 21.11.1892. KB. W's forklarende tekst er citeret fra Den frie Udstillings katalog 1895.
Askeurne med valmuer Ligbrænding: R. Berg: Indtryk fra Foraarsudstillingerne, Tidsskrift for Kunst Industri, 2. Hefte 1898, side 69–74. Erik Lassen: Bygningskunst og Ligbrænding. Berlingske Tidendes kronik 26.11.1954.
Hørup-monumentet Willumsens Hørup-monument. 28.3.–16.6. 1980. W. Mus., udstillingskatalog. Leila Krogh og Torben Krogh: Et politisk monument. Willumsen og Hørup. Kbh. 1980.
Badende børn på Skagens Strand Italien: JFW til Alice Bloch 23.7. 1902. KB. Kompositionen: JFW til Edith 19.11.1902. Edith Willumsens manuskript. Atlanterhavet: Mentze side 162. Livsglæden: Öhman side 96, note 35. Titlen: Öhman side 94, note 30.
Ravnene Premiere: Politiken 3.6. 1910. Duer og ravne: Politiken 4.6. 1910. Leila Krogh: Willumsens ravne, Den frie Udstillings katalog, 1985, side 7–13.
Plakat til atelierudstillingen Anmeldelser: Dannebrog 16.9.1910, Berlingske Tidende 15.9.1910, Politiken 8. og 16.9.1910, Harald Giersing: Willumsens Udstilling. Det nye Kunstblad okt. 1910, side 94–98. Leila Krogh: Genvisit hos Willumsen efter 75 år. Weekendavisen. Berlingske Aften 20.–26.9.1985.
Maleren og hans familie Prisen: C. Kampmann til Alice Bloch 21.5. 1918. KB. The First Collection of Northern Art Exhibited in America. Current Opinion, LIV no 1, January 1913. New York, side 59–62.
En fysiker Billedets emne: JFW til G. A. Hagemann, 21.11.1912.
Naturskræk. Efter stormen nr. 2. Edith står model: JFW til Edith 24.8.1904. Edith Willumsens manuskript. Konen på stranden: JFW til Alice Bloch 3.6.1916. KB. Oprindelig idé: JFW til Alice Bloch 30.6. 1918. KB. Fremstille mennesker: JFW til Edith 26.12.1901. Edith Willumsens manuskript.
Invasionen Bedste radering: JFW til Alice Bloch 23.12.1917. KB. Trykpresse: JFW til Alice Bloch 3.6.1916. KB. Humanitær hjælp: JFW til Alice Bloch 6.1.1919. KB.
Aftensuppen Lampelys og oplevelse i København: JFW til Alice Bloch 30.6.1918. KB. Stemningen i

isolation: JFW til Alice Bloch 1.9. 1918. KB.

Kunsthistorikeren Vilhelm Wanscher teoretiserer Kunsthistorie og teori: JFW til Alice Bloch 30.7.1919. KB. Vilhelm Wanscher: Raffaello Santi da Urbino. Kbh. 1919. Vilhelm Wanscher: J. F. Willumsen. Kbh. 1937.

Det store Relief Færdig halvandet til to år: JFW til Johan Rohde 28.12.1893. KB. Gipsvæg på Strandagervej: JFW til Alice Bloch 5.10. 1918. KB. Notesbog påbegyndt 6.12.1892, notater om Det store Relief 4.11.1893-30.1.1899. Opsætning af væggen: JFW til Juliette 7.5.1894. KB. Bodelsen side 40-46. Sidelys: JFW til svigerforældre 2.8. 1894. KB. Kasseret del: Svagheden. Inv 413. Willumsens egen forklaring: skrevet i 1928 i forbindelse med V. Jastrau: Willumsen. Kbh. 1928.

Canal Grande i Venedig Hold på motivet: JFW til Alice Bloch 28.9. 1920. KB.

Selvportræt i malerbluse Dagbog 7.9.1933. Støvets år: Mentze side 264.

Trilogien Tizian døende Ulla Hjorth: »Titian døende« af J. F. Willumsen. Cras XLIV, 1985, side 36-45 (udkommet efter redaktionens slutning). Leila Krogh: Willumsens portrætter. Kunst Samfund Kunst. En hilsen til Broby. Odense 1986 (under udgivelse).

J. F. Willumsens værk og liv

Billedhugger Udstillinger i Europa: JFW til svigerforældre 2.8.1894. KB.

Keramiker J. F. Willumsens keramiske værker 1891-1900. Willumsens Museum 1986. Udstillingskatalog.

Fotograf Købt apparat: JFW til Juliette 7.7. 1893. KB.

Indsatsen Lauritz Tuxen: En Malers Arbejde gennem Tredsindstyve Aar fortalt af ham selv. København 1928, side 307.

Arbejdsmetode Egen forklaring: Öhman side 93. Studier og prøver: JFW til Alice Bloch 9.12.1918. KB. Tilbagekaldt: JFW til Alice Bloch 21.7.1918. KB.

Willumsens udklipsmapper Fotografier fra rejser: JFW til Juliette 2.4. 1889. KB. Fotografier af Thorvaldsen: JFW's regnskabsbog 1.11. 1898-april 1900. JFW til Johan Rohde 10.12.1900. KB. Bogbinderen: JFW til Edith 19.11. 1902. Edith Willumsens manuskript.

Lyset og farven Første rejse: JFW til Juliette 9.4.1889. KB. Lyset i Syden: JFW til Alice Bloch 30.6.1918. KB. Skitsebog om lyset: Acc 397. Farver i lejlighed: JFW til sviger-

forældre 2.8.1894. KB. Den frie Udstilling: Politiken 25.3.1898.

Rammer Lindealleen: JFW til Juliette 27.11.1888. Inv 303. Kastanjer: JFW til svigerfader 6.9.1891. KB. En bjergbestigerske: JFW til Alice Bloch 26.3.1904. KB. Guldkant: JFW til Edith 21.11.1901. Edith Willumsens manuskript.

Økonomi Ediths arv: JFW til Juliette 14.1.1907. KB. Salg i 1918: JFW til Alice Bloch 5.10.1918. KB.

Gamle Samling JFW om Gamle Samling: Berlingske Aftenavis 25. 2.1939. J. F. Willumsen: La Jeunesse du Peintre El Greco I-II, Paris 1927. Hyrdernes tilbedelse: Rodolfo Palluchini: Da Tiziano a El Greco. Venezia 1981, nr 97.

Willumsens Museum Tilbud til den danske stat: Undervisningsministeriet til JFW 16.8. 1929. Villaen: JFW til Ny Carlsbergfondet 10.12. 1929. Aksel Jørgensens forslag: Albert V. Jørgensen til JFW 24.1. 1935. Levinsens Willumsen museum: JFW til Alice Bloch 8.2. 1918. KB.

Enkeltmandsmuseum Udstille alene: JFW til Alice Bloch 21.2. og 21.7.1918. KB.

Fotografier

Lilian Bolvinkel: Inv 367, Acc 3, Schultz 17 og 59,
Hørupmonumentet i Kongens Have, Hørupudkast: Politiken.

Helmuth Hansen: Inv 324, Schultz 16.

Kobberstiksamlingen: Dürer: Apokalypsen.

Per Kruse: Inv 353.

Kunstakademiets Bibliotek: En bjergbestigerske, 1904.

Nasjonalgalleriet, Oslo: Efter stormen, 1905.

Thomas og Poul Pedersen: To koner skilles efter en passiar,
1890 og Sophus Claussen læser sit digt Imperia for Helge Rode
og Willumsen, 1915.

Hans Petersen: Schultz 15.

Jørgen Watz: opslag i Vilhelm Wanschers bog, 1919.

Ole Woldbye: Familievasen, 1891, Inv 69, 331, 334, 344, 350,
362, 366, 370, 376, 377, 379, 406–409, 421, 422, 425.
Acc 2, 4, 24, 120, 121, 123, 508, 514, 583, 642, 650, 663, 666,
702, 703, 1317, 1323, 1551, 1629.

Peter Schandorf: alle øvrige fotografier.

J. F. Willumsens Museum, Jenriksvej 4, 3600 Frederikssund
02–31 07 73

Åbningstider: 1.4.–30.9: alle dage kl. 10–16
1.10–31.3.: hverdage kl. 13–16, søn- og helligdage kl. 10–16